Perdre
Mais perdre vraiment ~~Godsent~~ *lucky find*
Pour laisser place à la trouvaille

APOLLINAIRE

elle porte

pa elle
des mil
liojis d'oc seleus
qui ouvrent
une couleur
ri comme un œil

Résé
ne son
nom leur
où viventses
personnages
familiers, une
mouche sur un
amor cause où
sucre, les trandeles fratirnels

un bouie d'œuf un aumdage
blane, des grables de Jaisis
un os se us un regard d'homme a la tite baissée
dans une cage c'est l'homme ma qui voit
une é cuyère dans des chevaux a l'écurie
un cerf en eris et des cavaliers a la guerre
vert à trois
les vents,
me amagine,

sera t il Paris Demny qui a la fèvé ? La famille des fimammes des
le respit unproéxon en t pas 4 se mande
Sédam il y a des chiens e un bon moder
fait métiers qui
singuliers que
modernes
belles séemes de out l'air de savoir faire un
chapeau

PASCAL PIA

APOLLINAIRE
par lui-même

"ÉCRIVAINS DE TOUJOURS"

aux éditions du seuil

GUILLAUME APOLLINAIRE, VERS 1908-1910.

Chronologie

1880. 26 août : une jeune Polonaise de vingt-deux ans, fille d'un camérier du Pape, met au monde à Rome un garçon dont la naissance n'est enregistrée que cinq jours plus tard à l'Hôtel de ville, sur la seule déclaration d'une sage-femme, la mère désirant conserver l'anonymat. La matrone fait enregistrer l'enfant sous les nom et prénoms de Dulcigni Guillaume Albert. — 29 septembre : Mademoiselle Angelica de Kostrowitzky présente au baptême, à l'église San Vito, à Rome, un enfant qu'elle prénomme Guillaume Apollinaire Albert. — 2 novembre : Mademoiselle de Kostrowitzky signe devant notaire un acte par lequel elle reconnaît comme son fils naturel l'enfant déclaré sous le nom de Dulcigni. Elle lui donne, avec le nom de Kostrowitzky, les prénoms de Guillaume Albert Wladimir Alexandre Apollinaire.

1882. Mademoiselle de Kostrowitzky accouche d'un second garçon : Albert.

1885. Agé d'environ cinquante ans, le père du petit Guillaume, Francesco Flugi d'Aspermont, rompt avec sa maîtresse, Mademoiselle de Kostrowitzky. Celle-ci voyage, fréquente les casinos, et surtout celui de Monte-Carlo.

1889. Court voyage à Paris, où Angelica de Kostrowitzky fait visiter à ses garçons l'Exposition universelle. A Monaco, Guillaume et son frère entrent au collège catholique Saint-Charles. Guillaume s'y lie d'amitié avec un élève de son âge, René Dupuy, fils d'un journaliste parisien, et qui portera plus tard dans les lettres le nom de René Dalize.

1895. Le collège Saint-Charles ayant clos ses portes, Guillaume de Kostrowitzky va poursuivre ses études au collège Stanislas, à Cannes.

1897. Février : Guillaume entre en rhétorique au lycée de Nice, afin de s'y préparer (en vain, semble-t-il) au baccalauréat. — Juin : il quitte le lycée et rejoint sa mère à Monaco.

1898. Guillaume lit beaucoup : Balzac, Tolstoï, Zola, Elémir Bourges. Les intellectuels de l'anarchie retiennent son attention ; son journal est *le Journal du Peuple*, que publie Sébastien Faure. Il s'essaie à traduire la *Fiammetta* de Boccace.

1899. Madame de Kostrowitzky quitte Monaco avec ses fils et son nouvel ami, un juif alsacien, nommé Jules Weil, de onze ans plus jeune qu'elle. Après de courts séjours à Aix-les-Bains et à Lyon, elle arrive à Paris en avril et s'installe en meublé, avenue Mac Mahon. — Juillet : Guillaume et son frère vont passer les vacances en Wallonie, à Stavelot. Guillaume parcourt les Fagnes et l'Hertogenwald et, au cours de ses promenades, franchit souvent la frontière belgo-prussienne, entre Stavelot et Malmedy. Il fait les yeux doux à la fille d'un cafetier de Stavelot, Maria Dubois, et écrit pour elle quelques poèmes. — 5 octobre : ne pouvant acquitter la note de l'hôtel où ils prennent pension depuis plus de deux mois et demi, Guillaume et son frère, sur l'ordre de leur mère, déguerpissent de Stavelot à l'aube, sans mot dire, et reprennent le train pour Paris où Madame de Kostrowitzky, sous le nom d'Olga Karpoff, les attend dans un meublé de la rue de Constantinople. — Guillaume cherche en vain un emploi de bureau.

1900. Étranger, Guillaume ne peut songer à entrer dans l'administration. Sans diplômes ni qualification professionnelle, il ne trouve pas d'embauche. Il sert de « nègre » à un certain Esnard, feuilletoniste à court d'imagination, mais ne parvient pas à se faire payer son travail. Enfin, une petite annonce lui procure un médiocre emploi chez un remisier. Cependant la poésie et la littérature ne cessent de l'occuper. A la Bibliothèque Mazarine, il entre en relations avec l'érudit Léon Cahun, oncle de Marcel Schwob et auteur de romans historiques. Il propose à un directeur de théâtre une comédie en un acte, *A la cloche de bois*, dont son départ furtif de Stavelot lui a probablement donné l'idée.

1901. « Kostro », comme l'appellent ses camarades, dédie quelques poèmes à la sœur de l'un d'eux, Mademoiselle Linda Molina, jeune fille de dix-sept ans, qu'il s'efforce, sans succès, de séduire. Il compose un roman, *la Gloire de l'Olive*, mais en égare le manuscrit dans un train, entre le Vésinet et Paris. Une riche Allemande, la vicomtesse de Milhau, venue passer quelques mois en France, l'engage comme précepteur de sa fille.

Août 1901-août 1902. Préceptorat en Rhénanie, dans les diverses propriétés de Madame de Milhau. Courts voyages à Bonn,

Cologne, Dusseldorf. En vacances, au début de 1902, voyage circulaire qui mène Guillaume à Munich, Berlin, Dresde, Prague, Vienne, Nuremberg, Stuttgart, Francfort, Mayence, et Coblence. Grande activité littéraire ; *la Revue Blanche* accueille des contes signés Guillaume Apollinaire. C'est de cette époque que datent les poèmes d'*Alcools* intitulés *Rhénanes.*

Le poëte s'éprend d'une jeune Anglaise, Mademoiselle Annie Playden, gouvernante chez Madame de Milhau.

Fin août 1902, Guillaume vient retrouver sa mère et son frère à Paris, 23, rue de Naples, et trouve un modeste emploi dans une banque de la rue de la Chaussée d'Antin.

1903. Apollinaire donne des vers à *la Plume* et prend part aux soirées littéraires qu'organise cette revue dans un café de la place Saint-Michel, le Soleil d'or (aujourd'hui café du Départ). Il y rencontre beaucoup d'écrivains, dont quelques-uns (Alfred Jarry, Eugène Montfort, André Salmon) deviennent vite ses amis. En septembre, il fait un voyage à Londres pour y revoir Annie Playden, qu'il aime toujours sans parvenir à s'en faire aimer. — En novembre, premier numéro du *Festin d'Esope*, mince revue littéraire mensuelle que vient de fonder Apollinaire.

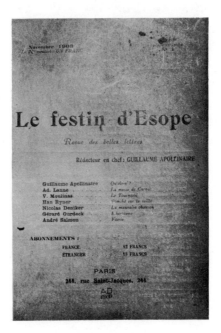

1904. *L'Enchanteur pourrissant* (à l'exception de son dernier chapitre, de composition plus tardive) figure aux sommaires de quatre numéros du *Festin d'Esope*. — La banque où Guillaume était employé tombe en déconfiture. Un des chefs de service de l'établissement, ayant gagné la confiance de quelques clients, se fait remisier et entreprend la publication d'une feuille financière, le *Guide du Rentier*, dont il confie la rédaction à « Kostro ». — Mai : nouvel et dernier voyage de Guillaume à Londres, où il tente vainement d'obtenir la main d'Annie Playden. Celle-ci l'éconduit et, pour se délivrer d'un amoureux qui l'importune et même l'inquiète, part peu après pour les États-Unis. — Août : *Le Festin d'Esope* publie son neuvième et dernier numéro. Apollinaire lie connaissance avec Picasso et Max Jacob.

ruin
bankruptcy

1905. Avril et mai : un aimable dilettante, M. Henri Delormel, auteur anonyme d'agréables petits essais dans le goût de Jean de Tinan, finance, pour Guillaume Apollinaire, une petite revue, *la Revue Immoraliste*, qui, dès le second numéro, change de titre et devient *les Lettres modernes*. Apollinaire y donne des chroniques, un poème et un conte. Mais la revue cesse de paraître après son deuxième numéro.

1907. 15 avril : Apollinaire, qui n'avait d'autre domicile fixe que celui de sa mère, boulevard Carnot, au Vésinet, loue au 9 de la rue Léonie (changée bientôt en rue Henner) un petit appartement. — Juillet-octobre : il collabore à une publication hebdomadaire, *Je dis tout*, dirigée par Jacques Landau (que l'on retrouvera dix ans plus tard parmi les accusés du procès du *Bonnet rouge*) ; collaboration journalistique et non littéraire ; il s'agit pour Apollinaire de s'assurer ainsi des piges, car le journalisme financier d'où il tire sa subsistance le nourrit mal. Le besoin d'argent l'incite également à composer pour un éditeur clandestin, imprimeur à Malakoff, deux petits romans érotiques, aussitôt publiés sous le manteau.

copies

1908. Apollinaire s'éprend d'une jeune artiste rencontrée chez un marchand de tableaux de la rue Laffitte : Mademoiselle Marie Laurencin. Les amours et les amitiés du poète l'amènent à la critique d'art. Dans des articles et dans des préfaces à des catalogues d'exposition, il exalte les peintres nouveaux : Matisse, Van Dongen, Picasso, Braque, Derain, Dufy, Vlaminck, etc. Le douanier Rousseau, qu'il prônera un peu plus tard, retient déjà son attention, mais ne le séduit pas encore. — 25 avril : Apollinaire parle des nouveaux poètes dans une conférence donnée au Salon des Indépendants. — Décembre : Rousseau, devenu l'ami d'Apollinaire, le peint en pied dans une composition intitulée *la Muse inspirant le poète*, que l'on verra exposée en 1909 aux Indépendants. M. Henry Kahnweiler, marchand de tableaux rue Vignon, publie en édition de luxe à petit tirage un des premiers textes d'Apollinaire, *L'Enchanteur pourrissant*, illustré de gravures sur bois par André Derain.

1909. Sous le pseudonyme de Louise Lalanne, Apollinaire donne à la revue de son ami Montfort, *les Marges*, de malicieuses chroniques sur la littérature féminine contemporaine. — Mai : *la Chanson du Mal Aimé* paraît dans *le Mercure de France*.

Apollinaire quitte la rue Henner pour aller habiter Auteuil (15 rue Gros). — Deux jeunes éditeurs, les frères Robert et Georges Briffaut, lui confient le soin d'établir et de présenter la plupart des recueils de textes libertins ou satyriques qu'ils vont publier dans les deux collections de leur Bibliothèque des Curieux : *les Maîtres de l'Amour* et *le Coffret du Bibliophile*. De cette collaboration, qu'interrompra seule la mort de Guillaume Apollinaire, naît d'abord une anthologie du marquis de Sade, alors totalement négligé. — Juillet : *les Marges* commencent la publication d'une série d'articles d'Apollinaire sur quelques *contemporains pittoresques* : le premier est consacré à Raoul Ponchon.

1910. Changeant de domicile, Apollinaire passe du 15 au 37 de la rue Gros. Sur l'intervention de son ami Salmon, il se voit confier par Léon Bailby la chronique artistique de *l'Intransigeant*. Il collabore également à *Paris-Journal*, quotidien du matin fondé depuis peu par Gérault-Richard. — Il publie chez l'éditeur Louis-Michaud une anthologie critique du théâtre italien, et chez P.-V. Stock *l'Hérésiarque et Cie*, recueil de contes dont beaucoup avaient déjà paru : en 1902 et 1903 dans *la Revue Blanche*, *la Grande France* et *le Festin d'Esope*, en 1905 dans *les Lettres modernes*, en 1907 dans *Vers et Prose*. — Décembre : dans le vote pour l'attribution du prix Goncourt, *l'Hérésiarque et Cie*, soutenu par Elémir Bourges, vient en tête au premier tour, avec trois voix. Mais le prix échoit finalement à Louis Pergaud pour son livre *De Goupil à Margot*.

1911. L'éditeur d'art Deplanche fait paraître en édition de luxe tirée à 120 exemplaires *le Bestiaire ou Cortège d'Orphée*, suite de bois gravés par Raoul Dufy pour accompagner les courts poèmes d'Apollinaire qui leur servent ici de légendes. — Avril : *le Mercure de France* crée pour Apollinaire une rubrique nouvelle : « la Vie anecdotique », que le poète conservera jusqu'à sa mort et qui disparaîtra avec lui. — Juillet-septembre: Apollinaire donne quatre contes au *Matin* et un autre à *Paris-Journal*, qui prendront place ultérieurement dans le recueil du *Poète assassiné.* — 7 septembre : ses relations avec un plaisant aventurier belge nommé Géry Piéret amènent l'arrestation d'Apollinaire. Un juge d'instruction prétend voir en lui le complice de vols de statuettes commis au musée du Louvre par Piéret qui a pris la fuite, et que l'on soupçonne même d'avoir dérobé la Joconde ! — 13 septembre : Me José Théry, avocat d'Apollinaire, obtient la mise en liberté du poète, détenu à la prison de la Santé. — 3 octobre : nouveau changement de domicile. Toutefois Apollinaire reste fidèle à Auteuil et s'installe au 10 rue La Fontaine, se rapprochant ainsi de Marie Laurencin, qui habite la même rue. — Décembre : Apollinaire s'inquiète. L'affaire Piéret, en le compromettant, l'a exposé à la malveillance de la petite presse. Dans *l'Œuvre,* hebdomadaire de Gustave Téry, Urbain Gohier le présente comme un pornographe et un métèque. Le poète, qui n'a pas encore été mis hors de cause dans l'instruction ouverte pour le vol de statuettes, craint de se voir expulsé de France.

1912. Janvier : Apollinaire commence à collaborer au journal *le Petit Bleu.* — 19 janvier : le juge d'instruction reconnaît enfin l'innocence d'Apollinaire, en faveur duquel il signe un non-lieu. — 20 janvier : *le Parthénon,* revue littéraire que dirige la baronne Brault, publie le début d'un roman, *l'Arc-en-ciel,* que promettent d'écrire tour à tour, en sept chapitres qu'ils ne signeront pas, sept des habitués du salon de la baronne. Le premier chapitre, par « le premier des Sept », est l'œuvre d'Apollinaire. Les autres invités de la baronne ayant sans doute manqué de parole, la publication de *l'Arc-en-ciel* s'interrompt après le chapitre initial. — 1er février : M. André Billy convainc quatre de ses amis : Apollinaire, René Dalize, André Salmon et André Tudesq, de fonder avec lui une revue littéraire mensuelle, *les Soirées de Paris,* dont le premier numéro paraît quelques jours plus tard. Apollinaire y donne des poèmes et un article sur la nouvelle peinture à laquelle il s'intéresse de plus en plus. — Juillet : court voyage en Angleterre, en compagnie du peintre Francis Picabia. — Automne : Marie Laurencin met fin à sa liaison avec Apollinaire, que cette rupture affecte profondément. Fuyant Auteuil et les souvenirs désormais douloureux que ce quartier lui rappelle, Apollinaire vient s'installer 202 boulevard Saint-Germain.

1913. 18 janvier : à l'occasion d'une exposition de Robert Delaunay, Apollinaire fait à Berlin une conférence sur la peinture moderne. — Printemps : il publie chez l'éditeur Eugène Figuière ses *Méditations esthétiques,* premier ouvrage consacré aux peintres cubistes et à leurs œuvres. — Fin avril : les éditions du Mercure de France font paraître *Alcools,* où Apollinaire a rassemblé les meilleurs poèmes qu'il ait écrits depuis

LES
SOIRÉES
DE PARIS

Le Numéro : 0f 60

ABONNEMENTS
Paris .... 7 fr.
France et Colonies .. 8 »
Étranger .... 9 »

Guillaume Apollinaire,
André Billy
et Marie Laurencin,
en Normandie (août 1913).

1898. — 29 juin : Apollinaire se rallie au bruyant mouvement déclenché en Italie par Marinetti et rédige un manifeste agressif, *l'Antitradition futuriste*, aussitôt imprimé à Milan. — Début d'août : Apollinaire va passer quelques jours en Normandie, sur la basse Seine, en compagnie de quelques amis. Il y revoit Marie Laurencin, qui ne consent point à renouer. — Mi-août : il passe une dizaine de jours à la Baule dans une villa louée pour la saison par son ami le peintre cubiste Serge Férat. — Automne : Serge Férat et sa sœur, la baronne d'Oettingen, reprennent la publication des *Soirées de Paris*, qu'André Billy avait dû interrompre. Apollinaire partage la direction de la revue avec Jean Cérusse (c'est-à-dire Férat et sa sœur). Les réunions des *Soirées de Paris* l'entraînent chaque jour à Montparnasse, où s'établissent de nombreux artistes venus de partout.

1914. Janvier : *les Soirées de Paris* consacrent un numéro au douanier Rousseau. — 27 mai : sur l'initiative de Ferdinand Brunot, les Archives de la Parole enregistrent sur disques, dans une salle de la Sorbonne, trois poèmes d'*Alcools* récités par l'auteur. — 21 juin : Marie Laurencin épouse un peintre allemand : M. Otto von Waetgen. — Juillet : Apollinaire publie dans *les Soirées de Paris* plusieurs « idéogrammes lyriques », petits poèmes qu'il nommera plus tard des calligrammes, et dont l'aspect rappelle un peu les vers figurés des anciens. — 25 juillet : avec le dessinateur André Rouveyre, Apollinaire part pour Deauville, où le journal *Comœdia* les envoie l'un et l'autre, Apollinaire étant chargé d'effectuer sur la plage mondaine un reportage anecdotique que Rouveyre doit illustrer. — 31 juillet : l'annonce de la mobilisation fait rentrer

L'ANTITRADITION FUTURISTE

Manifeste-synthèse

ABAS LEP ominir A liminé SS korsusu
otalo EIS cramir ME nigme

ce moteur à toutes tendances imprecisonnisme fauvi-
sme cubisme expressionnisme pathétisme dramatisme
orphisme paroxysme DYNAMISME PLASTIQUE
MOTS EN LIBERTÉ INVENTION DE MOTS

DESTRUCTION

		Suppression de la douleur poétique	
		des exotismes snobs	
		de la copie en art	
		des syntaxes déjà condamnées par l'usage dans toutes les langues	
		de l'adjectif	
Pas		de la ponctuation	
de		de l'harmonie typographique	
regrets		des temps et personnes des verbes	
		de l'orchestre	
		de la forme théâtrale	
		du sublime artiste	
		du vers et de la strophe	
		des maisons	
		de la critique et de la satire	
		de l'intrigue dans les récits	
		de l'ennui	

SUPPRESSION DE L'HISTOIRE

INFINITIF

précipitamment à Paris les deux envoyés spéciaux de *Comœdia*. — 3 septembre : l'offensive allemande menaçant Paris, Apollinaire part pour Nice où résident plusieurs de ses amis. Il s'y éprend très vite d'une jeune femme rencontrée chez un ami commun : Madame Louise de Coligny-Châtillon. — Décembre : éconduit par Madame de Coligny et privé des ressources que lui procurait le journalisme, Apollinaire s'engage pour la durée de la guerre et part pour Nîmes, où il est incorporé au 38e régiment d'artillerie. Cette décision fléchit la jeune femme qu'il courtisait en vain : celle-ci le rejoint à Nîmes où le poète accomplit avec application ses classes d'artilleur et d'élève brigadier.

1915. Janvier : rentrée à Nice, sa nouvelle maîtresse se détache très vite d'Apollinaire, qui lui écrit chaque jour et lui dédie de mélancoliques poèmes. — 29 mars : dernière entrevue, mais inutile, à Marseille, avec Madame de Coligny. — Début d'avril : Apollinaire part pour le front où lui sont octroyés quelques jours plus tard les galons de brigadier. — Mai : par correspondance, Apollinaire ébauche une idylle avec une jeune Française habitant Oran et en compagnie de laquelle le hasard l'avait fait voyager, au début de l'année, de Nice à Marseille. — Juin : au front même Apollinaire tire sur gélatine vingt-cinq exemplaires d'un mince recueil de poèmes qu'il a, pour cela, écrits soigneusement à l'encre à copier. Ce mince cahier de poèmes a pour titre : *Case d'Armons*. — 10 août : à la suite d'un échange de

lettres quasi quotidien, Apollinaire adresse à la mère de Mademoiselle Madeleine Pagès, sa correspondante, une demande en mariage, qui est agréée sans difficulté : « Nous nous marierons dès qu'il sera possible ». — 24 août : Apollinaire est promu maréchal-des-logis. — Septembre-octobre : du front Apollinaire adresse à sa fiancée quelques-uns des poèmes qui figureront dans *Calligrammes* et des poèmes plus passionnés, que fera seulement connaître, trente-sept ans plus tard, la publication de *Tendre comme le souvenir*. — 20 novembre : ambitieux de recevoir encore du galon, Apollinaire passe sur sa demande dans l'infanterie, où il est affecté au 96ᵉ régiment avec le grade de sous-lieutenant. Cette mutation va lui faire désormais mener la vie de troglodytes à quoi la tranchée condamne les fantassins et leurs chefs de section. — 26 décembre : Apollinaire arrive à Oran pour y passer auprès de sa fiancée les dix jours d'une permission de détente.

1916. 11 janvier : à son retour d'Algérie, Apollinaire s'arrête quelques heures à Paris, entre deux trains. Il y revoit sa mère à qui il fait part de son projet de mariage. — 12 janvier : il rejoint son régiment, alors au repos à Damery, près d'Épernay. — 22 janvier : son unité, qui bivouaque à la Ville-en-Tardenois, prend part à des manœuvres. — 1ᵉʳ et 2 février : une permission de 48 heures ramène Apollinaire à Paris, dont l'atmosphère lui paraît peu accordée à la gravité du moment. — Début de mars : il passe deux jours dans Reims bombardée. — 14 mars : il remonte en ligne avec son unité, après avoir écrit à sa fiancée : « Je te lègue tout ce que je possède, et que ceci soit considéré comme mon testament, s'il y avait lieu ». — 17 mars : vers 16 heures, dans une tranchée du bois des Buttes, près de Berry-au-Bac, un éclat d'obus de 150 blesse Apollinaire à la tempe droite après avoir percé son casque. — 18 mars : évacué sur

l'ambulance la plus proche, le blessé est opéré à 2 heures du matin. Une incision en T permet d'extraire plusieurs petits éclats de la région temporale. — 20 mars : de l'ambulance, Apollinaire est dirigé sur l'Hôtel-Dieu de Château-Thierry. — 28 mars : il est transféré au Val-de-Grâce, à Paris. — 10 avril : sur sa demande, il passe du Val-de-Grâce à l'hôpital italien du Quai d'Orsay, où son ami Serge Férat est infirmier. — Fin avril : sa plaie s'est à peu près cicatrisée, mais des évanouissements et une paralysie partielle du côté gauche alarment ses médecins. — Ses amis Briffaut publient sous leur firme « l'Édition » *le Poète assassiné*, où Apollinaire avait rassemblé la plupart des nouvelles et des contes écrits par lui depuis *l'Hérésiarque et Cie*. — 9 mai : transporté à la villa Molière, boulevard de Montmorency, à Auteuil, Apollinaire y est trépané par le docteur Baudet. — 11 mai : par télégramme, Apollinaire informe Mademoiselle Pagès que l'opération qu'il vient de subir s'est effectuée dans d'excellentes conditions. En fait, et sans l'avouer nettement, il a dès lors renoncé au projet de mariage conçu sur le front. — Juin : la revue *Cabaret Voltaire*, que publie à Zurich le petit groupe cosmopolite d'où naîtra bientôt le mouvement Dada, insère un poème d'Apollinaire. — Juillet : Pierre Albert-Birot, directeur de la revue *Sic*, obtient d'Apollinaire encore en traitement à l'hôpital italien une interview au cours de laquelle le poète annonce que le cinéma deviendra sous peu l'art le plus populaire. — Août : la tête bandée, Apollinaire convalescent réapparaît dans les lieux de la Rive gauche qui lui étaient familiers. On le revoit dans les cafés de Montparnasse et au café de Flore, proche de son domicile. — 31 décembre : un banquet en l'honneur d'Apollinaire est servi au Palais d'Orléans, avenue du Maine. Au dessert, fort animé, les plus jeunes convives bombardent de boulettes de mie de pain la table des vétérans où siègent Rachilde, Henri de Régnier, André Gide, Paul Fort, etc. Ni Madame Aurel ni Paul-Napoléon Roinard ne peuvent faire entendre les allocutions qu'ils avaient préparées.

1917. Apollinaire, qui, en dépit de sa blessure, n'a pas été réformé, obtient d'être détaché à la « Direction générale des relations (du Commandement) avec la Presse », c'est-à-dire à la Censure.

Il collabore aux plus hardies des jeunes revues poétiques : *Sic*, de Pierre Albert-Birot, *391*, de Picabia, et *Nord-Sud*, dont Pierre Reverdy fait paraître le premier numéro en mars. — Il édite, sous la firme du Mercure de France, une mince plaquette de vers, *Vitam impendere amori*, qu'illustrent huit dessins de Rouveyre. Il donne à la Bibliothèque des Curieux une édition des poèmes de Baudelaire, dont il a écrit la préface.

21 juin : Pierre Albert-Birot fait représenter au Conservatoire Renée Maubel, rue de l'Orient, à Montmartre, un « drame

APOLLINAIRE
EN 1917.

surréaliste » d'Apollinaire, que celui-ci n'eût probablement
jamais mis au point sans l'insistance amicale du directeur de
Sic : les Mamelles de Tirésias. — Juillet : Apollinaire quitte la
Censure pour le cabinet du ministre des Colonies, où la plus
grande liberté lui est laissée. — 13 novembre : il donne à la
galerie Paul Guillaume une causerie au cours de laquelle il
traite d'un nouvel art : « l'art tactile ». — 26 novembre : sur la
scène du Vieux Colombier il parle de « l'esprit nouveau ». Sa
causerie est suivie de récitations de poèmes choisis par lui
dans ses propres œuvres et dans celles de Rimbaud, Gide,
Fargue, Saint-Léger Léger, Salmon, Divoire, Romains,
Reverdy, Max Jacob et Cendrars.

1918. Janvier : une congestion pulmonaire entraîne le retour
d'Apollinaire à la villa Molière, hôpital complémentaire du
Val-de-Grâce. — Mars : Les éditions du Mercure de France
publient *Calligrammes*. Sur la page de titre de ce recueil
Apollinaire a tenu à inscrire les dates de 1913-1916, afin de
marquer de façon précise la place où le livre se situe dans
son œuvre à la suite d'*Alcools*. — 2 mai : Apollinaire épouse
Mademoiselle Jacqueline Kolb, la « jolie rousse » du dernier
poème de *Calligrammes*. Le marié a pour témoins Picasso et
Ambroise Vollard. La cérémonie religieuse est célébrée à Saint-

Thomas d'Aquin. Pour subvenir à l'entretien de son foyer, Apollinaire s'impose de nouvelles tâches. Il multiplie ses collaborations journalistiques : *Paris-Midi, l'Information, Excelsior, l'Europe nouvelle, la Baïonnette.* — Août : il prend quelques vacances, en compagnie de sa femme, sur la petite plage morbihannaise de Kervoyal, et s'efforce d'y confectionner un pseudo-roman, promis aux éditeurs Pereira et Variot. L'ouvrage est annoncé sous le titre *Les Clowns d'Elvire ou les Caprices de Bellone.* Au cours de son séjour à Kervoyal, Apollinaire achève le troisième et dernier acte d'un livret d'opéra dont l'idée lui était venue l'année précédente à la suite d'entretiens avec Serge de Diaghilev et Éric Satie. M. Henry Defosse, chef d'orchestre des Ballets Russes, compose de son côté la partition de cet opéra-bouffe. — Début de novembre : Apollinaire doit s'aliter, atteint par l'épidémie de « grippe espagnole » qui désole Paris. — 9 novembre : malgré les soins constants qui lui ont été donnés, Apollinaire meurt à 17 heures. — 13 novembre : les obsèques du poète sont célébrées à Saint-Thomas d'Aquin. Son inhumation a lieu au cimetière du Père Lachaise.

1919. Les derniers Kostrowitzky disparaissent. La mère d'Apollinaire s'éteint le 9 mars. Albert, frère du poète, fixé depuis plusieurs années au Mexique, meurt quelques mois plus tard.

A sa mort, le 9 novembre 1918, Guillaume Apollinaire n'avait que trente-huit ans. Beaucoup de gens connaissaient déjà son nom, mais les plus répandus de ses livres n'avaient encore trouvé que deux mille lecteurs. Et sur ces deux mille lecteurs, peut-être ne s'en trouvait-il guère plus de deux cents pour savoir qu'en cette semaine où la France pavoisait, sa poésie éprouvait la perte la plus cruelle qu'elle pût alors subir.

Comme il est de règle en matière de vraie poésie, le prestige d'Apollinaire s'est établi sans hâte. On lit beaucoup plus Apollinaire aujourd'hui qu'on ne le lisait il y a vingt ans, et sans doute le lit-on beaucoup moins encore qu'on ne fera dans quelques années. On ne révérera pas tout ce qu'il a écrit ; lui-même, d'ailleurs, n'hésitait pas à désavouer quelques ouvrages, qu'il n'avait bâclés et signés que pour gagner sa vie. Mais il n'est pas besoin de consulter l'oracle pour imaginer que, tant que des jeunes gens connaîtront l'angoisse de l'amour ou la crainte du lendemain, certains berceront leur inquiétude à la musique du plus émouvant de nos chanteurs de rues :

Sous le pont Mirabeau coule la Seine
Et nos amours
Faut-il qu'il m'en souvienne
La joie venait toujours après la peine.

La poésie d'Apollinaire est en effet souvent bien proche de la chanson. Malgré la diversité des techniques qu'elle met en œuvre, elle s'abandonne sans cesse à l'effusion.

APOLLINAIRE

On peut dire d'elle ce qu'Apollinaire disait un jour de la prose d'un de ses contemporains : « elle est émue, et c'est sa qualité ». C'est par là qu'en dépit de l'origine étrangère du poète et quoique celui-ci s'affirmât féru de nouveauté, les plus prenants poèmes d'*Alcools* et de *Calligrammes* situent Apollinaire dans une lignée profondément française et aussi vieille que notre langue, — la lignée même où Verlaine a pris place auprès de Rutebeuf et de Villon.

Apollinaire a beaucoup écrit. Son œuvre est le fruit, souvent hâtif, d'une existence brève et difficile. Vingt ans à peine se sont écoulés entre la composition de *l'Enchanteur pourrissant* et la mort du poète, et pourtant sa bibliographie est copieuse. Il est vrai qu'elle comporte presque autant de publications posthumes que d'ouvrages mis au point par l'auteur lui-même. Depuis six ans sept nouveaux recueils d'Apollinaire ont vu le jour. Personnellement nous avons pris trop d'intérêt à la lecture de ces diverses « éditions originales » pour regretter qu'elles aient été mises en librairie. Nous ne nous en sentons pas moins obligé de souligner que ces recueils posthumes ont eu surtout pour mérite d'améliorer la connaissance que l'on avait d'Apollinaire. Ils ont permis de dissiper des incertitudes et de corriger des erreurs. Sans eux, la consciencieuse biographie qu'a donnée M. Marcel Adéma n'eût pas pu être aussi complète. Mais, contrairement à ce que la presse et la publicité ont parfois soutenu, nous ne croyons pas, par exemple, que les vers rassemblés sous le titre d'*Ombre de mon amour* soient dignes de la même fortune que ceux d'*Alcools*. Pour captivants que puissent les trouver les fidèles du poète, *Ombre de mon amour* ou *le Guetteur mélancolique* ne sont guère que des recueils de brouillons. Ce serait faire preuve d'une dévotion intempestive que de parler d'eux comme d'ouvrages achevés.

L'avenir d'Apollinaire n'a d'ailleurs nul besoin de ces *disjecti membra poetae*. Il tient essentiellement aux deux livres de vers par lesquels Apollinaire lui-même s'affirmait « fondé en poésie » : *Alcools* et *Calligrammes*. De *l'Hérésiarque et Cie* au *Poète assassiné*, son œuvre en prose a beau ne pas manquer d'attraits, les éditeurs ne la réimprimeraient qu'avec timidité si les reflets diaprés de ses poèmes ne continuaient de l'éclairer.

PAR LUI-MÊME

Nous n'insisterons pas sur les différences de qualité que devaient fatalement présenter les divers ouvrages d'Apollinaire, nés tantôt de sa vocation de poète et de conteur, tantôt de l'obligation où il s'est trouvé de chercher dans son encrier ses ressources quotidiennes. Notre dessein n'étant que de reconnaître Apollinaire dans son œuvre, nous nous référerons à tous ses écrits, quels qu'ils soient, chaque fois qu'avec ou sans masque, il nous aura semblé s'y épancher.

Manuscrit original d'une « prière d'insérer »
rédigée pour Calligrammes, par Apollinaire lui-même.

Albat de Kostrowicky

Wilhelm
de Kostrowicky
en littérature:
Guillaume Apollinaire

Cette photographie a appartenu à Mme de Kostrowicky mère

L'ACCENT DU MIDI

Aucun des amis d'Apollinaire ne s'est flatté d'avoir pénétré le secret de sa nature. Quel qu'ait été leur degré d'intimité avec lui, tous s'accordent à dire qu'au moment même où il se montrait le plus ouvert, le plus déboutonné, il leur échappait encore par quelque côté.

Sur ses origines, par exemple, Apollinaire s'évertuait à entretenir le plus épais mystère. On le disait fils d'un prélat, on chuchotait le nom d'un ancien évêque de Monaco. Rumeurs que l'intéressé se gardait de démentir et même qu'il avait, semble-t-il, encouragées en les laissant répandre par René Dalize, « le plus ancien de ses camarades ».

Dalize et Apollinaire avaient lié connaissance sur les bancs du collège Saint-Charles, à Monaco, alors que tous deux avaient environ dix ans et ne s'appelaient encore que René Dupuy et Wilhelm de Kostrowitzky [1]. Le poème sur lequel s'ouvre le recueil d'*Alcools* évoque en passant ce temps de collège et les premiers mois de cette amitié :

... Tu n'es encore qu'un petit enfant
Ta mère ne t'habille que de bleu et de blanc
Tu es très pieux et avec le plus ancien de tes camarades
[*René Dalize*

---

1. En dépit de sa naissance romaine et de sa formation française, Apollinaire ne fut d'abord ni Guglielmo ni Guillaume, mais Wilhelm. Nous avons eu sous les yeux d'anciens billets du poète à son ami Dupuy signés Wilhelm. En 1914, les lettres de Madame de Kostrowitzky à son fils devenu soldat disent toujours : « Mon cher Wilhelm ». (Cf. André Rouveyre, *Souvenirs de mon commerce*, 1921, p. 128.)

APOLLINAIRE

Vous n'aimez rien tant que les pompes de l'Église
Il est neuf heures le gaz est baissé tout bleu vous sortez du
                                        [*dortoir en cachette*
Vous priez toute la nuit dans la chapelle du collège [1].

Peut-être Dalize croyait-il, lui aussi, que son ami fût né des amours d'un ecclésiastique ? Cette méprise s'expliquerait en partie par le fait que, dans les années 90, les seuls hommes qui semblaient s'inquiéter du sort du petit Wilhelm étaient des gens d'église auxquels l'enfant avait été recommandé par un religieux italien, Niccolo Flugi d'Aspermont, ancien médecin devenu abbé général des Bénédictins sous le nom de Dom Romarino.

En ce protecteur lointain, le garçonnet confié aux prêtres du collège Saint-Charles avait en vérité non un père, mais un oncle, l'oncle Romarin, dont le nom monastique évoque un Midi aromatisé et bruissant d'abeilles. Quant au père d'Apollinaire, on sait maintenant qu'il se nommait Francesco Flugi d'Aspermont et qu'il appartenait à une vieille famille engadinoise, passée après 1815 au service des Bourbons de Naples.

Ancien officier de l'armée royale des Deux-Siciles, Francesco Costantino Camillo Flugi d'Aspermont avait déjà quelque quarante-quatre ans lorsqu'il avait séduit à Rome Mademoiselle de Kostrowitzky, qui achevait tout juste sa vingt et unième année. Fille d'un noble Polonais devenu en exil camérier de Pie IX, Angelica de Kostrowitzky s'était laissé conquérir et enlever assez aisément. Selon les renseignements recueillis par M. Marcel Adéma, biographe d'Apollinaire, le père du poète, « à quarante ans ne manquait pas d'allure. Grand, le front haut, la chevelure abondante, les yeux vifs, la bouche petite sous une moustache fournie, son maintien autoritaire que la fréquentation de la cour bourbonienne avait enveloppé de courtoisie en faisait un cavalier accompli et fort séduisant [2] ».

Ni les livres ni les lettres d'Apollinaire ne mentionnent le nom de ce mirliflore, disparu de l'existence de Mme de Kostrowitzky alors que Guillaume et son frère Albert

---

1. *Alcools*, Zone.
2. Marcel Adéma, *Guillaume Apollinaire le mal-aimé*, 1952, p. 6.

n'avaient que cinq ans et trois ans. Il n'est pourtant pas douteux que le poète ait su de longue date à qui il devait le jour. L'un des premiers amis qu'il eut à Paris, M. René Nicosia, raconte qu'en 1900 Apollinaire, le recevant rue de Naples au domicile maternel, lui fit voir en présence de Mme de Kostrowitzky la photographie d'un officier italien dont il lui dit simplement : « C'est mon père ». D'autre part, le brouillon d'un des contes de l'*Hérésiarque et Cie* révèle qu'Apollinaire s'amusa un jour à faire l'anagramme du nom paternel pour en affubler l'un de ses plus fantasques personnages. Son histoire de l'*Amphion faux messie* s'intitula d'abord l'*Histoire merveilleuse du baron d'Ormespant*. Mais, à la réflexion, Apollinaire se ravisa et changea d'Ormespant en d'Ormesan ; en quoi il fit bien, son Amphion n'ayant visiblement rien emprunté aux aventures amoureuses de Francesco Flugi d'Aspermont, non plus qu'aux exploits guerriers ou mondains que celui-ci avait pu accomplir à la cour ou sous les drapeaux de François II, avant que Garibaldi ne vînt détrôner le dernier roi des Deux-Siciles.

Sur sa jeunesse, Apollinaire se montrait presque aussi discret que sur sa naissance. Ses livres sont chiches de souvenirs d'enfance, ou du moins de souvenirs d'enfance rapportés comme les siens. Sa condition d'enfant naturel n'a certainement pas été étrangère à une telle réserve. A la fin du siècle dernier et au début du nôtre, la bâtardise était considérée sans bienveillance dans la petite bourgeoisie où Mme de Kostrowitzky, exilée de l'aristocratie par le scandale, s'efforçait encore de faire figure, à Monaco puis à Paris, en compagnie de ses deux garçons. Aussi conçoit-on qu'Apollinaire, lorsqu'il lui est arrivé de tirer de son fonds italien quelque anecdote ou quelque trait, ait pris soin de les prêter à des personnages tels qu'aucun caractère autobiographique ne puisse leur être imputé à coup sûr. C'est ainsi que dans les pages du *Poète assassiné* intitulées *Giovanni Moroni*[1] sont probablement transposés des incidents auxquels, quand il avait cinq ans, le petit Guillaume dut assister sans en saisir la signification. Mais la basse extraction de Giovanni Moroni et le décor médiocre où Apollinaire situe les premières années de ce

---

1. Publiées d'abord non comme un conte mais comme une chronique exacte, dans la *Vie anecdotique* que Guillaume Apollinaire donnait au *Mercure de France* (n° du 16 novembre 1913).

garçon « sans grande culture » interdisent toute identification formelle. En faisant du père de Giovanni un besogneux artisan qui va débiter sur les marchés forains de Rome les jouets en bois de son industrie, l'auteur éloignait son héros du petit garçon qu'il avait été lui-même, dans la même capitale, à l'époque que rappelle son récit. Et quoique les familiers d'Apollinaire nous aient représenté Mme de Kostrowitzky comme une créature altière et emportée, nous ne saurons jamais si le petit Guillaume eut l'occasion de la voir s'opposer à son amant dans des scènes semblables à celles que Giovanni Moroni ne devait jamais oublier :

Souvent nous rentrions en retard, et c'étaient alors des disputes qui parfois devenaient terribles. Ma mère était jetée sur le plancher, traînée par les cheveux. Je revois nettement mon père piétiner la poitrine dénudée de ma mère, car pendant la lutte le corsage craquait ou s'ouvrait et les seins se dressaient stigmatisés par les talons à clous.

Nous ne saurons pas davantage si des souvenirs personnels ont incité Apollinaire à nous faire voir la mère de Giovanni donnant dans la superstition. Nous serions pourtant assez enclin à le supposer, car la passion du jeu possédait Mme de Kostrowitzky au point de la conduire jusque dans les cercles mixtes, c'est-à-dire dans les plus douteux tripots, et l'on sait que les joueurs invétérés sont rarement exempts de pratiques superstitieuses [1]. Mais quoi qu'il en soit des « sources » de *Giovanni Moroni*, l'atmosphère et le décor que ce récit ressuscite laissent le lecteur sur une étrange et parfois gênante impression de vérité :

> *Une fois, en été, on avait donné à ma mère l'adresse d'un moine qui tirait les cartes à bon marché. Il habitait seul un couvent désert et nous fit entrer dans une bibliothèque dont le plancher même était encombré de livres [...]. Le moine était un beau garçon qui portait une couronne de cheveux noirs et drus ; sa robe était tachée de vin, de graisse et marquée de petites saletés consistantes et sèches. Il indiqua une chaise à ma mère, qui s'assit et me prit sur ses genoux. [...] L'opération dura une demi-heure, prenant toute l'attention de ma mère, tandis que je n'étais occupé que du cartomancien, dont la robe s'était ouverte et le montrait nu au-dessous. Il eut l'audace, lorsque les cartes furent épuisées, de se relever ainsi, bestialement impudique, et de refuser les cinquante centimes que ma mère lui offrait, en faisant semblant de ne rien voir.*
>
> *Il semble que la sorcellerie de ce moine était précieuse pour ma mère puisqu'elle retourna chez lui. Mais il devait l'effrayer, car elle m'emmena toujours comme sauvegarde.*

De Francesco Flugi d'Aspermont, on peut présumer que son fils n'avait conservé que de fort vagues impressions. Toutefois la réputation de séducteur que le bel officier s'était faite semble avoir toujours hanté Apollinaire. Conteur, la complaisance qu'il met à exalter *il re galantuomo* Victor Emmanuel II, qui passe pour avoir été le Vert Galant de l'Italie nouvelle ; chroniqueur, le plaisir qu'il prend à rappeler les types légendaires de la complexion amoureuse, de Priape à Michault, le « bon fouterre » de

---

1. Jacques Dyssord, qui avait connu Mme de Kostrowitzky, a précisé qu'elle fréquentait « les tripots mixtes de la rue Laferrière ». (Chronique apollinarienne, *les Marges*, n° de janvier 1935).

Villon, du Karagueuz des Turcs au Père Dupanloup de la chanson, tout cela donne à penser qu'il eût volontiers vanté les prouesses de son père s'il avait eu licence de le nommer.

A ce sujet, on peut relever dans le conte du *Poète assassiné* intitulé *la Favorite* un détail mince, mais amusant. La favorite est une Piémontaise, la Cichina, qui, dans sa jeunesse, a partagé un jour la couche de Sa Majesté Victor Emmanuel, de passage à Pignerol. Depuis cet événement, la favorite a pris de l'âge, mais brune et bien faite elle est néanmoins restée belle. Or, tout orgueilleuse qu'elle soit, elle doit encore se soumettre à un vigoureux *rousseau de vingt ans*. Ce « *rival d'un roi* », comme le nomme plaisamment Apollinaire, ne se distingue ni par la naissance ni par l'éducation, ce n'est qu'un *botcha*, un simple manœuvre, mais en dépit de la modestie de sa condition, c'est aussi un conquérant que ce *botcha* dompteur de femelles, et que la Cichina, fidèle à l'accent piémontais, appelle *Costantzing*, c'est-à-dire Costantino, — second prénom du fatal Francesco Flugi d'Aspermont.

Avant de poursuivre, reconnaissons que ces rapprochements de textes et de personnages demandent qu'on les considère avec circonspection. A la vérité, ils éclairent moins Apollinaire que son art, ils soulignent surtout l'aptitude particulière du poète à transmuer en un métal précieux le billon quotidien et à transfigurer une souillon piémontaise en Pompadour ou en Castiglione.

Cependant l'expérience même d'Apollinaire nous semble s'exprimer presque sans réticence dans ce que disait Giovanni Moroni des spectacles qui avaient ravi son jeune âge ou des friandises qu'il avait aimées :

Cette époque de mon enfance à Rome m'a laissé des souvenirs très précis.

Les plus lointains remontent à l'âge de trois ans.

Je me revois surveillant la combustion dans une cheminée, sur un feu de bois, d'une pomme de pin pignon et faisant ensuite sortir de leurs alvéoles les amandes à enveloppe dure comme un os et y ressemblant.

Je me souviens des fêtes de l'Épiphanie. J'étais joyeux d'avoir de nouveaux jouets que je croyais apportés par la Befana, cette sorte de fée vieille et laide comme Morgane, mais douce aux enfants et de cœur tendre. Ces fêtes des rois mages, pendant lesquelles je mangeais tant de dragées fourrées d'écorce d'orange, tant de bonbons à l'anis, m'ont laissé un arrière-goût délicieux !

Le conte qui donne son titre au recueil de *l'Hérésiarque* accuse la même connaissance des sucreries italiennes. Pour honorer un visiteur, le R. P. Benedetto Orfei fait servir « *certaines confiseries romaines ou siciliennes* », qu'Apollinaire énumère avec une abondance gourmande :

Des noix confites dans du miel, une sorte de pâté fait de pâte de fondant aux trois parfums de menthe, de rose et de citron, où étaient enfouis des morceaux de fruits confits (écorces d'orange, cédrats, ananas), de la pâte de coing très douce appelée cotogniata, *une autre pâte nommée* cocuzzata *et une sorte de crêpe de pâte de pêche que l'on nomme* persicata.

Et dans un autre conte du même livre, *l'Infaillibilité*, un autre prélat italien grignote en parlant « *une figue sèche, farcie avec une noisette et de l'anis* ».

C'est également de son passé italien qu'Apollinaire aura tiré la brève évocation du spectacle de marionnettes où fut mené Giovanni Moroni au cours d'un voyage à Turin. Giovanni, ou Guillaume, put admirer ce jour-là les populaires *fantoccini*, et surtout Gianduja, qui est à Turin ce que Gnafron est à Lyon, — rusé compère chaussé de bas rouges et qui, s'exprimant en patois d'Asti, s'ingénie malicieusement à faire le niais. Médusé par la nouveauté du spectacle, l'enfant n'en retint évidemment que quelques images :

Je n'avais encore jamais été au théâtre. Je fus aux anges pendant toute la représentation et ne perdis aucun des gestes des nombreuses marionnettes de grandeur naturelle qui s'agitaient sur la scène ; mais je ne compris rien à l'intrigue de la pièce qui, autant que je m'en souvienne, devait en partie se passer en Orient. Lorsque tout fut fini, je ne pouvais pas le croire. Mon père me dit :
— Les marionnettes ne reviendront plus.

Les souvenirs de processions ou de carnavals qu'Apollinaire a évoqués dans ses livres ou dans ses lettres appartiennent, eux aussi, à ses premières années romaines ou méditerranéennes. Le masque à gaz dont le maréchal-des-logis Kostrowitzky se voit affubler en septembre 1915 lui fait écrire alors :

> *La cagoule est une chose qui a vivement frappé mon enfance* [...] *Je me souviens fort bien d'une certaine confrérie qu'on voyait [à Rome] aux enterrements et dont les membres avaient tous des cagoules. Cela m'épouvantait un peu et la dernière chose que j'aurais pu penser c'est que je porterais moi-même la cagoule un jour*[1].

Dans la panoplie apollinarienne, il était inévitable qu'à côté de la cagoule des pénitents romains figurassent les masques de carnaval. Quoique Giovanni Moroni ait raconté une scène sanglante de carnaval, c'est surtout aux chars et aux masques que se reporte Apollinaire quand il parle des jours de liesse qui, dans sa jeunesse, à Rome ou sur la Riviera, précédaient le mercredi des Cendres :

> *Jeunesse adieu jasmin du temps*
> *J'ai respiré ton frais parfum*
> *A Rome sur les chars fleuris*
> *Chargés de masques de guirlandes*
> *Et des grelots du carnaval*[2].

Le carnaval romain avait ses fastes culinaires. Giovanni Moroni en mentionne « *le plat de circonstance : une timbale de macaronis au jus, mêlés de foies de poulet, à laquelle devait succéder une timbale douce de macaronis au sucre et à la cannelle* ». Mais les plus vives attractions du carnaval étaient sans conteste ses chars, « *d'où tombaient les* confettacci, *des bonbonnières, des fleurs* ». Aussi quand les microphones du *Roi Lune* suggèrent une cavalcade carnavalesque à Rio de Janeiro :

> *Les balles de caoutchouc, lancées par des mains sûres, s'aplatissent avec bruit sur les visages et répandent les eaux de senteur comme les alcancies moresques d'autrefois,*

il n'est pas douteux, à notre sens, qu'il s'agit là de souvenirs romains, monégasques ou niçois, que le conteur dépayse sans prendre la peine de les travestir.

---

1. Lettre à Mlle Pagès, 15 sept. 1915. Cf. *Tendre comme le souvenir*, p. 141.

2. *Calligrammes*, Les Collines.

Sous le titre *1904*, une des pièces regroupées dans *Il y a* témoigne de la persistance des images que le carnaval avait imprimées dans l'esprit du poète :

> *A Rome à Nice et à Cologne*
> *Dans les fleurs et les confetti*
> *Carnaval j'ai revu ta trogne*
> *O roi plus riche et plus gentil*
> *Que Crésus Rothschild et Torlogne.*

Ce nom de Torlogne, ou plutôt de Torlonia, ne dit probablement pas grand'chose au lecteur français d'aujourd'hui. Dans les vers que nous venons de citer, le sens ne l'impose pourtant pas moins que la rime, mais seul un Romain comme Apollinaire pouvait le trouver naturellement sous sa plume. Depuis le début du XIXe siècle, la famille romaine des Torlonia n'avait fait qu'accroître la fortune constituée par l'aïeul Giovanni, brocanteur devenu banquier et que Pie VII avait anobli. Un Torlonia n'avait pas hésité à dépenser trente-cinq millions de lires pour assécher le lac de Fucino et livrer ainsi à la culture seize mille hectares des Abruzzes. Aussi le Saint-Siège, puis la maison de Savoie et la ville de Rome n'avaient-ils pas marchandé les honneurs aux Torlonia, faisant d'eux des ducs de Bracciano, des ducs de Poli, des ducs de Cesi, des ducs de Fucino, des princes de Civitella, des marquis de Roma-Vecchia et les premiers édiles de la cité. Par hasard, c'était un Torlonia, le duc Léopold, qui, en qualité de podestat, avait reçu le 31 août 1880 à l'hôtel de ville de Rome la déclaration de naissance de l'enfant, de père inconnu et de mère anonyme, qui devait être un jour Guillaume Apollinaire...

De l'Italie à Monaco, l'écart, pour sensible qu'il fût, était moins grand que de nos jours lorsqu'en 1885 Angelica de Kostrowitzky et ses deux petits garçons avaient quitté Rome pour la principauté. Quoique depuis douze ans environ la suppression des jeux en Allemagne eût rabattu sur le minuscule État du prince Charles III la clientèle cosmopolite de Bade et de Wiesbaden, Monaco n'était pas encore une vraie ville. Mais, du port au château, les paroles qu'on y entendait, conversations en dialecte piémontais et chansons ligures, attestaient sans cesse le voisinage de l'Italie.

Nice même, en ce temps-là, ne laissait pas encore oublier ses origines. C'était surtout le nissard que l'on parlait sur les quais du Paillon et dans les hautes maisons ocre ou rose pâle de la place Garibaldi. Aussi la Riviera que l'on aperçoit par intervalles dans les livres d'Apollinaire est-elle souvent une Riviera italianisante. Les pèlerins qui, dans *l'Hérésiarque et Cie*, prient ou menacent la madone de Laghet sont des Piémontais dont le rude langage et l'allure lourdaude soulèvent la moquerie des jouvencelles monégasques, vite dégrossies au commerce des riches hivernants et que gâte déjà la prétention.

De bonne heure, Guillaume Apollinaire dut s'amuser à comparer au français châtié que lui enseignaient les prêtres du collège Saint-Charles le français des sujets du prince. Il a consigné ses observations là-dessus dans un chapitre particulièrement narquois du *Poète assassiné*, où se pavane Mia, jeune Monégasque préoccupée de vendre et de revendre sa virginité à des étrangers cossus :

> *Son parler était lâche, mou, grasseyant, mais agréable cependant. C'est l'accent des Monégasques, dont Mia suivait la syntaxe [...] François des Ygrées commença à s'occuper d'elle et s'amusa de cette syntaxe dont il lui plut de rechercher quelques règles. Il en remarqua d'abord les italianismes et surtout celui qui consiste à conjuguer le verbe être avec lui-même pour auxiliaire, au lieu d'employer le verbe avoir. Ainsi, Mia disait : « Je suis étée », au lieu de : « J'ai été ». Il nota cette règle bizarre qui consiste à répéter le verbe de la proposition principale après cette proposition : « Je suis été aux Moulins, pendant que vous alliez à Menton, je suis été », ou bien : « Cette année, je veux aller à Nice, à la foire aux cogourdes, je veux ».*

La Nice de 1900 est présente dans la première des *Trois histoires de châtiments divins* que renferme *l'Hérésiarque et Cie*. Le jeune giton niçois qu'Apollinaire y fait finalement empaler y évolue dans un vieux Nice « *aux parfums de fruits et d'aromates mêlés aux odeurs de chair crue, de pâte aigre, de morue et de latrines* ». Ce vieux Nice-là existe encore, mais les remugles qu'y respirait Apollinaire n'y sont plus aussi puissants depuis que l'on a recouvert le Paillon et doté du tout-à-l'égout les ruelles qui dévalent du Château vers Sainte-Réparate.

C'est un livre qui peut plaire
également aux lettrés et au
public, à ceux qui aiment
la littérature forte et inquiétante
étrange et logique.

L'Hérésiarque et Cie est en effet un ouvrage
curieux et très intéressant. On
le lit facilement et avec
attachement. L'auteur parmi
tant d'inventions fantastiques
tragiques et parfois sublimes
se grise d'une érudition charmante
de laquelle il grise aussi ses
lecteurs soumis à l'académie des Dix
l'Hérésiarque était
le meilleur livre
soumis à l'appréciation
des Dix pour l'attribution
des prix Goncourt ?
Aucun doute...

*Brouillon d'un texte publicitaire que l'éditeur Stock
avait demandé à Apollinaire pour* L'Hérésiarque et Cie.

Apollinaire, qui fréquenta le lycée de Nice à dix-sept ans, ne devait oublier aucune des odeurs niçoises : odeurs d'huile chaude ou d'herbes aromatiques, odeurs d'anchois ou de pissala, parfums de fleurs ou odeurs de brunes. Ne se flattait-il pas de pouvoir plonger dans le passé en reconnaissant soudain un arôme ? En octobre 1915, il écrivait :

J'ai l'odorat très fin et une grande mémoire nasale, si j'ose dire, une bouffée d'odeur me rappelle parfois brusquement des choses lointaines auxquelles je n'aurais jamais songé si mon odorat ne les faisait soudain revivre à mon cerveau [1].

Mais son expérience méditerranéenne ne se réduisait pas aux propos qu'avait retenus son oreille ou aux odeurs qui avaient affecté sa narine. Il a su noter au passage l'avidité des commerçants de Nice, qui, « *en bons Nissards* », ne faisaient chômer leurs apprentis « *ni le jour, ni la nuit* », et l'insolence d'une plèbe qu'il montre mimant au nez d'un giton « *l'obscène lettre z d'un alphabet muet qu'emploient volontiers les Nissards, les Monégasques, les Turbiasques et les Mentonasques* ».

Le spectacle de cette populace gesticulante l'a visiblement retenu. Pour le contempler, il a longuement flâné : à Nice sur les quais du Paillon, à Beausoleil « *dans le sale quartier piémontais du Carnier, et plus précisément dans la petite portion de ce quartier nommée le Tonkin* ». C'est au Tonkin, dans une rue pavée de briques, « *où les murailles des maisons étaient d'une saleté infecte* », qu'il a situé son conte de *la Favorite*, dans les lieux mêmes où il avait rencontré autrefois le « poète » Adrien Blandignère, qui « *vivait chichement du produit des acrostiches qu'il faisait dans les cafés* » de Monte-Carlo, et où il avait vu une femme de ménage, la belle Apollonie, accablée de quolibets par une marmaille indécente :

Les gamins et gamines, qui la connaissaient bien, la voyant passer tous les jours, avaient pris l'habitude de se moquer d'elle et, parce qu'elle était brune et peu soignée, ils l'appelaient Biffabrenn, *ce qui signifie à peu près breneuse en piémontais. Il y avait des gamins tout petits, qui criaient le*

---

1. Lettre à Mlle Pagès, 22 oct. 1915. Cf. *Tendre comme le souvenir*, p. 229.

36

*plus fort et détalaient avec une rapidité de chevreuil lorsqu'elle
essayait de les frapper. Il y avait encore des gamins et gamines
plus grands. L'une avait dans les treize ans et portait un
bébé dans les bras. Les uns étaient pieds nus, d'autres n'a-
vaient que des souliers, la grande avait des bas et des bottines.
Ils chantaient : « Madame Biffabrenn, Madame Biffabrenn ».
Tout à coup, la femme de ménage, irritée par les cris injurieux
des gamins, se retourna avec un geste qui fit reculer la troupe
et leur cria le mot de Cambronne. Aussitôt un chœur répondit :
« Merda-rosa, merd'a ti, ros'a mi ». C'est de cette scène
inoubliable que j'ai tiré plus tard quelques éléments de mon
manifeste milanais,* l'Antitradition futuriste [1].

C'est probablement dans les mêmes rues du Carnier
qu'Apollinaire, s'est attardé à regarder des Italiens jouant
à la *morra*, c'est-à-dire à la mourre. On sait en quoi consiste
ce jeu : il s'agit de deviner le nombre de doigts que lève
votre adversaire au moment même où celui-ci desserre
le poing qu'il tenait fermé. Les joueurs se font face, debout,
le jarret tendu, les poings à la hauteur du visage. Une des
rumeurs que font entendre les disques du *Roi Lune*
rappelle le pays de Naples et « *les voiturins jouant à la
mourre par la nuit étoilée* ». Et dans l'un des plus anciens
poèmes d'*Alcools*, l'Ermite, s'il ne joue pas à la mourre,
joue du moins largement sur l'homophonie du mot :

> *Les humains savent tant de jeux l'amour la mourre*
> *L'amour jeu des nombrils ou jeu de la grande oie*
> *La mourre jeu du nombre illusoire des doigts*
> *Seigneur faites Seigneur qu'un jour je m'enamoure.*

Curieux des mœurs, Apollinaire n'est pas pour autant
resté indifférent aux paysages. La Riviera elle-même ne
l'a pas moins intéressé que ses joueurs de mourre et de
lotto, ses hivernants et ses voyous. Évoquant le poète
Blandignère et Mme Biffabrenn, le chroniqueur souligne
la splendeur du panorama qu'il apercevait du haut du
Carnier aux rues infectes :

*En face s'étendait la mer, calme et bleue par places comme
si l'eau laissait transparaître d'énormes saphirs. Le rocher*

---

1. La Vie anecdotique, *Mercure de France*, 1er août 1914.

de Monaco la pénétrait, massif et élevé, supportant de mer-
veilleux jardins suspendus, et la cathédrale alors inachevée,
dont le portail s'ouvre face à la mer. Accrochés aux flancs
perpendiculaires pendaient les cactus fleuris et déjà en fruits,
les grenadiers sauvages, les figuiers feuillus, les géraniums
aux bouquets rouges et les lambrusques aux fleurs roses.

Les mêmes paysages se retrouvent dans la longue
nouvelle qui a donné son titre au *Poète assassiné.* Installé
dans une pension de Roquebrune, le baron des Ygrées
« *souvent, allait dès l'aurore se promener au bord de la mer* » :

La route était bordée d'agaves qu'involontairement, chaque
fois qu'il les voyait, il comparait à des paquets de morue
sèche. Parfois, à cause du vent contraire, il se tournait pour
allumer une cigarette égyptienne dont la fumée s'élevait en
spirales semblables aux montagnes bleuâtres qui s'estompaient
au loin en Italie.

Des hauteurs de Roquebrune, François des Ygrées
découvrait une Méditerranée étincelante :

A l'orient, on eût dit que flambait une flotte royale, en
vue d'une ville marine aux maisons blanches, Bordighère,
qui fournit les palmes pour les fêtes du Vatican.

Les images de même provenance abondent dans *Alcools* :

Maintenant tu es au bord de la Méditerranée
Sous les citronniers qui sont en fleurs toute l'année
Avec tes amis tu te promènes en barque
L'un est Nissard il y a un Mentonasque et deux Turbasques
Nous regardons avec effroi les poulpes des profondeurs
Et parmi les algues nagent les poissons images du Sauveur [1].

Des fragrances de citron parfument souvent les vers
d'Apollinaire, où s'éploie d'ailleurs tout l'éventaire des
fruitiers méridionaux :

Les citrons couleur d'huile et à saveur d'eau froide
Pendaient parmi les fleurs des citronniers tordus
Les oiseaux de leur bec ont blessé vos grenades
Et presque toutes les figues étaient fendues [2].

---

1. *Alcools*, Zone.
2. *Alcools*, Le Larron.

Le poème intitulé *les Fiançailles* semble même associer à des souvenirs plus intimes certains paysages des Alpes-Maritimes :

> *Au petit bois de citronniers s'enamourèrent*
> *D'amour que nous aimons les dernières venues*
> *Les villages lointains sont comme leurs paupières*
> *Et parmi les citrons leurs cœurs sont suspendus.*

A propos de ce poème, Apollinaire écrivait en juillet 1915 qu'il le considérait non seulement comme le plus nouveau et le plus lyrique de ceux qu'il avait réunis dans *Alcools*, mais aussi comme le plus profond. S'adressant à la jeune fille qu'il courtisait alors par correspondance, il croyait devoir ajouter : « *Nulle femme n'a été l'objet de ce poème-là* ». Comme nous, en effet, Mlle Pagès aurait pu croire que quelque regret amoureux avait en partie au moins inspiré ces *Fiançailles* :

> *J'ai eu le courage de regarder en arrière*
> *Les cadavres de mes jours*
> *Marquent ma route et je les pleure*
> *Les uns pourrissent dans les églises italiennes*
> *Ou bien dans de petits bois de citronniers*
> *Qui fleurissent et fructifient*
> *En même temps et en toute saison.*

Et dans une autre lettre du même été 1915, Apollinaire soupirait :

Mais quelle magie, le vieux Nice, ses maisons gênoises et le marché au bord du Paillon... Tenez cela me donne la nostalgie [1].

Le jour qu'il soupirait ainsi, Apollinaire, brigadier d'artillerie, se trouvait sur le front de Champagne, où la côte 146 n'offrait à sa vue qu'un tertre crayeux ravagé par les obus et où « *les arbres si rares* » étaient « *des morts restés debout* ».

---

1. Cf. *Tendre comme le souvenir*, p. 76.

*Guillaume Apollinaire à 12 ans
à l'époque de sa première
communion.*

LE GOUT DE LA FABLE

Selon Apollinaire lui-même, ce fut vers sa douzième année qu'il composa ses premiers vers. Il fréquentait encore le collège Saint-Charles, à Monaco :

J'étais en cinquième et je commençais le grec ; nous avions un professeur qui s'appelait Becker. Il était très maigre, on l'appelait je ne sais pourquoi Meletta ou bien Catherine. On lui fit tant de farces qu'il dut partir. C'est lui cependant qui me poussa à faire de la littérature et (en dehors de lui) je fis cette année même et vers cette époque mes premiers vers, sans intérêt je crois, d'ailleurs [1].

Les plus anciens poèmes d'Apollinaire qui nous soient parvenus, — ceux qu'a révélés un de ses camarades du lycée de Nice, Ange Toussaint-Luca, — sont plus tardifs puisqu'ils datent de sa dix-septième ou de sa dix-huitième année, et ils ne présagent encore aucun talent. En vers libres ou en alexandrins, ce ne sont que de bien modestes essais et l'on comprend qu'Apollinaire les ait laissés dans l'oubli. Cependant ils montrent le poète séduit dès son adolescence par des personnages de la Fable qui vont entrer bientôt dans ses livres :

> *Le moine de Santabarem*
> *Vêtu de noir et ses mains pâles étendues*
> *Clama : « Lilith ! »*
> *Et dans la nuit blême*

---

1. Cf. *Tendre comme le souvenir*, p. 208.

Ululait une orfraie et le moine dit :
« Je vois Lilith qui vole poursuivie
Par trois anges... » [1].

On retrouvera cette Lilith et cette orfraie dans l'épaisse forêt où gît *l'Enchanteur pourrissant.* Semblablement, le moine et Lilith figureront dans les vers de *l'Ermite :*

Et je marche Je fuis ô nuit Lilith ulule
Et clame vainement et je vois de grands yeux
S'ouvrir tragiquement O nuit je vois tes cieux
S'étoiler calmement de splendides pilules [2].

Mais du moine de Santabarem à l'Ermite, la différence de style et de timbre est sensible. Le moine date de 1897 et l'Ermite de 1902. Entre ces deux dates le lycéen était effectivement devenu poète.

Apollinaire a confessé que les contes de fées et les romans de chevalerie avaient nourri son enfance. Sa correspondance indique même que les vieilles épopées italiennes ne lui étaient pas inconnues. Quand sur le front, en juin 1915, il tente, par amusement, de dresser un tiercelet de quelques jours capturé par les hommes de sa batterie, c'est à *Beuves d'Antone,* c'est-à-dire au plus ancien des romans lyriques de la péninsule, qu'il emprunte le nom d'Aquilan pour en baptiser son petit rapace.

Son goût de la Fable était tel qu'à trente-cinq ans, toujours fidèle aux amours de sa jeunesse, il méditait de remettre au jour les œuvres négligées du conteur napolitain Basile. Du front, il écrivait le 6 octobre 1915 à sa fiancée :

Il y a un recueil de contes — ce sont surtout des contes de fées — le Pentaméron *de Basile (16ᵉ siècle je crois) écrit en dialecte napolitain. J'aurais voulu le traduire. J'en ai une édition, mais cela dépasse ma science linguistique [...]. Cependant il a été traduit en anglais, une édition illustrée pour la jeunesse que j'ai vue je ne sais plus où. Si tu avais le temps, tu le traduirais, ça t'exercerait en ton anglais et*

---

1. Cf. le poème intitulé *Lecture* reproduit par A. Toussaint-Luca dans son *Guillaume Apollinaire*, 1920, p. 30.
2. Poème publié d'abord dans *la Revue Blanche*, décembre 1902, et repris dans *Alcools.*

*je le remettrais au point au moyen de ma rare édition
ancienne de l'original. J'aime beaucoup les contes de fées.
Enfant, Perrault fut (avec Robinson et Racine) ma princi-
pale lecture. Les contes de Perrault sont pleins d'anciennes
vérités mythiques venues d'Asie par tradition. Or Naples
ou Parthénope est un des lieux de passage de ces fables, d'où
le très grand intérêt du Pentaméron de Basile qui n'a jamais
été traduit en français* [1].

Ces « anciennes vérités mythiques » étaient plus fami-
lières à Apollinaire que les contes que Basile a pu en tirer.
Les marianistes du collège Saint-Charles, à Monaco,
avaient de bonne heure initié leur élève aux Écritures.
Après la Bible, la légende grecque avait largement abreuvé
le jeune Guillaume. Le souvenir de ces lectures est manifeste dans son premier livre, *l'Enchanteur pourrissant*.

Quoique l'édition originale n'en ait été publiée qu'à la fin
de 1908, cet *Enchanteur* date du début du siècle. La plus
grande partie en avait d'ailleurs été insérée en 1904 dans
quelques numéros de la mince revue que dirigeait alors
Apollinaire, *le Festin d'Esope*. Dans la dédicace d'un exemplaire de son ouvrage, Apollinaire lui-même précise qu'il
avait pu lire dès 1900 à son ami Jean Sève le manuscrit
alors inédit de « ce testament de sa première esthétique ».

Apollinaire aurait donc écrit *l'Enchanteur pourrissant*
à dix-neuf ou vingt ans. Il est certain pourtant qu'il y
apporta au moins des corrections par la suite, car l'on y
trouve trace de légendes germaniques qu'il ne connut
qu'en 1901 ou 1902.

---

1. Cf. *Tendre comme le souvenir*, p. 182.

Une totale liberté se manifeste dans la composition de *l'Enchanteur pourrissant*. Rien de moins concerté que ce récit semé de dialogues où, sans souci de l'anachronisme, évoluent simultanément dans la même forêt Hélène et Siméon Stylite, Tirésias et les Druides, l'Archange Michel et Angélique vieillie, mais toujours attendrie au souvenir de Médor. Sur le sépulcre de l'enchanteur Merlin défilent avec les héros de la légende celtique ou de la mythologie grecque, des patriarches d'Israël, des monstres issus du Livre de Job ou de la tératologie médiévale, des thaumaturges et des bâtisseurs de cités. A ne considérer que cette disparate, on pourrait dire que *l'Enchanteur pourrissant* renoue avec la tradition archaïque du récit populaire. Le compilateur anonyme du *Violier des histoires romaines* ne procédait pas de façon différente quand il faisait vivre César au temps de Romulus ou quand il liait d'amitié Alexandre, Socrate et Marc-Aurèle. Villon lui-même ne se montrait pas moins désinvolte avec l'histoire, châtrant Alcibiade d'un trait de plume pour en faire hardiment Archipiada.

En qualifiant son *Enchanteur pourrissant* de « testament de sa première esthétique », Apollinaire se flatte un peu. Les premières pages de son livre affectent un ton moyenageux qu'il néglige ensuite de soutenir, et d'un bout à l'autre de l'ouvrage subsistent des vers blancs qu'un conteur plus expérimenté eût pris soin de gauchir :

Que deviendra mon cœur parmi ceux qui s'entr'aiment ? [1]
Un charme te tient-il sous l'aubépine en fleur ?...
Mon amitié est vive encor, malgré l'absence [2]
Hâte-toi ! Je savais tout ce qui me ressemble [3] *; etc.*

En vérité, *l'Enchanteur* est moins l'expression d'une esthétique personnelle ou choisie, que le reflet de lectures dont Apollinaire ne devait jamais se déprendre. Non content d'avoir consacré son premier livre à Merlin, il reviendra encore à l'Enchanteur dans un des poèmes d'*Alcools* :

La dame qui m'attend se nomme Viviane
Et vienne le printemps des nouvelles douleurs
Couché parmi la marjolaine et les pas-d'âne
Je m'éterniserai sous l'aubépine en fleurs [4]

et il est peu de recueils apollinariens où l'on ne puisse découvrir au moins une ou deux références à Morgane, évoquée tantôt sous son apparence de fée galloise, tantôt dans son éclat trinacrien de Fata Morgana.

De même, les six personnages immortels que sont Élie, Enoch, Empédocle, Apollonius de Tyane, Simon Mage et Isaac Laquedem, et que l'on voit réunis dans *l'Enchanteur pourrissant*, réapparaîtront tour à tour dans les autres livres d'Apollinaire. Simon Mage et le Juif errant, devenu « le passant de Prague », ont l'un et l'autre leur conte dans *l'Hérésiarque et Cie*, et dès les premières pages d'*Alcools* le siècle naissant, que sa conquête de l'air change en oiseau, voit planer autour de lui les rares humains condamnés à ne jamais mourir :

Les diables dans les abîmes lèvent la tête pour le regarder
Ils disent qu'il imite Simon Mage en Judée

---

1. 2. 3. On retrouvera ces diverses citations aux pages 7, 18 et 73 de la réédition de *l'Enchanteur pourrissant*, publiée en 1921 par la N. R. F.
4. *Alcools*, Merlin et la vieille femme.

APOLLINAIRE

Ils crient s'il sait voler qu'on l'appelle voleur
Les anges voltigent autour du joli voltigeur
Icare Enoch Elie Apollonius de Tyane
Flottent autour du premier aéroplane [1].

On peut sans doute s'étonner qu'à vingt ans, Apollinaire, quelque plaisir qu'il eût pris dès son jeune âge aux romans de la Table Ronde, soit allé leur emprunter le thème initial de son premier ouvrage. Il n'en faut pas chercher l'explication ailleurs que dans l'influence des écrivains contemporains qui retenaient alors son attention. Les premiers vers d'Apollinaire ne ressortissent peut-être pas exactement à la poésie symboliste, mais ils se sont au moins souvenu d'elle. *L'Enchanteur pourrissant* aussi. Parmi les personnages fabuleux qu'Apollinaire y fait pontifier, s'interroger ou vaticiner, beaucoup avaient déjà été requis par les nouveaux auteurs des années 85 à 90. Jean Lorrain avait eu sa Viviane et Remy de Gourmont sa Lilith. Des fées et des créatures de songe flottaient dans les poèmes de Gustave Kahn et de A.-Ferdinand Hérold, de Maurice Maeterlinck et de Stuart Merrill. Apparemment, Apollinaire débutant dut nourrir l'ambition de n'être pas absent de ce légendaire, dont son *Enchanteur* s'écarte cependant par la netteté de ses lignes, le trait incisif de ses images. D'une légende de Hérold ou d'un mystère de Quillard à *l'Enchanteur*, la distance est au moins aussi grande que d'une lithographie d'Odilon Redon à la gravure sur buis de quelque artisan d'Épinal. Même venues d'un lointain folklore, les héroïnes apollinariennes ne sont jamais diaphanes. Les Druides nomment sa Viviane « la dame au corsage qui pommelle », et le poète l'a dotée en effet d'avantages qui ne doivent rien à la magie :

« *Je suis belle comme le jardin d'avril, comme la forêt de juin, comme le verger d'octobre, comme la plaine de janvier ». S'étant dévêtue alors la dame s'admira. Elle était comme le jardin d'avril où poussent par places les toisons de persil et de fenouil, comme la forêt de juin, chevelue et lyrique, comme le verger d'octobre, plein de fruits mûrs, ronds et appétissants, comme la plaine de janvier, blanche et froide* [2].

---

1. *Alcools*, Zone.
2. *L'Enchanteur pourrissant*, édit. de 1921, p. 13.

Même vieille et flétrie, la fée Morgane de *l'Enchanteur pourrissant* reste pétulante et vorace de chair fraîche :

J'ai laissé mon castel Sans-Retour, sur le mont Gibel. J'ai laissé les jeunes gens que j'aime et qui m'aiment de force, au castel Sans-Retour, tandis qu'ils aiment de nature les dames errant dans les vergers, et même les antiques naïades. Je les aime pour leur braguette [1]*, hélas ! trop souvent rembourrée et j'aime aussi les antiques cyclopes malgré leur mauvais œil. Quant à Vulcain, le cocu boiteux m'effraye tant que de le voir, je pète comme bois sec dans le feu.*

Une telle Morgane n'a rien d'évanescent. On dirait plutôt d'une strige, échappée d'une satire de Régnier ou de Sygognes, ou des *capitoli* de la poésie bernesque qu'Apollinaire, né Romain, goûtait en connaisseur. Ses images et sa verve distinguent nettement l'auteur de *l'Enchanteur pourrissant* des symbolistes dont l'exemple avait pourtant suscité son premier livre. Où ceux-ci n'eussent admis que de l'ineffable et du sublimé, Apollinaire introduit une sensualité sans réticences. L'Hélène qu'il fait surgir entre les rouvres de Brocéliande ne rappelle en rien les déesses délavées de Puvis de Chavannes ou les muses dolentes d'Alexandre Séon et de Filiger. Mais elle n'est pas davantage la pièce de musée qu'eût fait d'elle un versificateur néo-classique, ni la divette d'Offenbach. Sous les outrages du temps et le fard qui ne parvient pas à les dissimuler, c'est une créature de chair et de sang qu'émeut encore le souvenir de ses étreintes :

---

1. La réédition de *l'Enchanteur pourrissant* par la N. R. F. substitue *baguette* à *braguette* (p. 12). Pudeur excessive ou mauvaise correction d'épreuves ?

Je l'avoue, lorsque j'aimai le berger troyen et qu'il m'aima, j'avais plus de quarante ans. Mais mon corps était beau et blanc comme mon père, le cygne amoureux qui ne chantera jamais. J'étais belle comme aujourd'hui, plus belle que lorsque petite fille, le vainqueur des brigands me dépucela. J'étais bien belle, car j'avais su conserver ma beauté en restant nue et en m'exerçant chaque jour à la lutte. Je savais aussi (car Polydamne me l'avait appris en Égypte) me servir des herbes pour en faire des fards et des philtres.

Pour peu qu'on les rapproche de certains vers de jeunesse sur Hélène, ces propos attestent la séduction qu'exerçait sur Apollinaire l'image de la belle Tyndaride parvenue à la maturité et déjà marquée des premiers signes de la flétrissure. Les confidences d'*Alcools* :

> *Je suis soumis au Chef du Signe de l'Automne*
> *Partant j'aime les fruits je déteste les fleurs* [1]

se sont en effet trouvées confirmées par la publication posthume des vers qu'Apollinaire, à vingt ans, dédiait déjà à Hélène :

> *Sur toi Hélène souvent mon rêve rêva*
> *Tes beaux seins fléchissaient quand Pâris t'enleva*
> . . . .
> *Si ton corps toujours nu exercé à la lutte*
> *Inspirait l'amour Hélène fille d'un dieu*
> *Les hymens sans flambeau ni joueuse de flûte*
> *Nombreux qui aux matins cernaient de bleu tes yeux*
>
> *Avaient avec les ans que n'avouent pas les femmes*
> *Fait souffrir ton visage et tes lèvres fané* [2].

Mais pour significatif que puisse être ce poème sur Hélène, ce n'était encore que le travail maladroit d'un nourrisson des muses. La prose de *l'Enchanteur pourrissant* est déjà meilleure, et les premiers bons vers d'Apollinaire sont eux-mêmes postérieurs à la composition de *l'Enchanteur*. Ce sont ceux de sa vingt-et-unième année, et ils lui sont venus sur les bords du Rhin.

---

1. *Alcools*, Signe.
2. *Le Guetteur mélancolique*, Hélène, p. 106.

LE VENT DU RHIN

Arrivé en Rhénanie en août 1901, Apollinaire y vécut un an dans les diverses résidences d'une riche Allemande, la vicomtesse de Milhau, qui, ayant engagé une gouvernante anglaise, avait voulu pour sa fille un précepteur français. Au cours d'un séjour à Paris, la vicomtesse avait agréé pour cet emploi le jeune homme qu'un professeur de piano lui recommandait, M. Guillaume de Kostrowitzky, qui, s'il n'était pas Français de naissance, l'était néanmoins de langue et de cœur. Apollinaire atteignait alors sa majorité. La gouvernante, embauchée quelques mois avant le précepteur, était une jeune Londonienne, du même âge que lui, Mlle Annie Playden.

Son année d'Allemagne devait faire connaître à Apollinaire Dusseldorf, Coblence, Cologne et Bonn, lui procurer l'occasion de parcourir le Wurtemberg, la Bavière et la Bohême, et même de pousser jusqu'à Vienne et jusqu'à Berlin. De cette expérience germanique, le poète et le conteur qu'il y avait en lui ont tiré un égal profit. Le Hanovre a donné à *l'Hérésiarque et Cie* un de ses « philtres de phantase », *la Rose de Hildesheim*, et avec son *Passant de Prague* la Bohême lui en a livré le meilleur. Munich a gavé de ses delikatessen et de sa Salvator les gloutons et les boit-sans-soif que le sixième chapitre du *Poète assassiné* fait s'empresser dans les brasseries du Nockerberg. Le Tyrol bavarois a prêté son décor au *Roi Lune*. Quant aux rives du Rhin, on les retrouve sans cesse dans *Alcools* : c'est d'elles que proviennent *les Colchiques, le Vent nocturne* et la suite de petits poèmes où, sous le titre de *Rhénanes,* Apollinaire frappe d'un plectre assuré toutes les cordes de la lyre.

On exagérerait à peine en soutenant qu'à son retour d'Allemagne, en août 1902, le poète se trouvait déjà en pleine possession de son métier. Ses *Rhénanes* le montrent également à l'aise dans l'élégie :

> *Là-haut le vent tordait ses cheveux déroulés*
> *Les chevaliers criaient Loreley Loreley*

dans la poésie pédestre :

> Il est mort écoutez *La cloche de l'église*
> *Sonnait tout doucement la mort du sacristain*
> Lise il faut attiser le poêle qui s'éteint
> *Les femmes se signaient dans la nuit indécise*

dans la chanson :

> *Mon beau tzigane mon amant*
> *Écoute les cloches qui sonnent*

dans la poésie burlesque :

> *Benzel accroupi lit la Bible*
> *Sans voir que son chapeau pointu*
> *A plume d'aigle sert de cible*
> *A Jacob Born le mal foutu*

enfin dans la poésie même dont aucune épithète ne saurait rendre compte et qui n'a jamais fini d'enchanter :

> *Mon verre est plein d'un vin trembleur comme une flamme.*

Entre les neuf *Rhénanes* d'*Alcools,* il en est une pourtant dont la composition ne nous paraît pas se situer entre les deux dates : septembre 1901 - mai 1902, qu'Apollinaire assigne à l'ensemble. C'est la *Rhénane d'automne,* contemporaine des autres pour l'inspiration, mais non, semble-t-il, pour l'écriture. En 1901 et 1902, Apollinaire, si peu soucieux qu'il fût des règles de la versification traditionnelle, n'usait qu'avec précaution des libertés qu'il s'arrogeait. C'est à l'Apollinaire débridé de 1912 ou de 1913 qu'il faut restituer la *Rhénane d'automne,* où se manifeste nettement la volonté de ne soumettre qu'à un minimum d'industrie les éléments du poème :

> *Les vieilles femmes*
> *Tout en pleurant cheminent*

> *Et les bons ânes*
> *Braillent hi han et se mettent à brouter les fleurs*
> *Des couronnes mortuaires*
>
> *C'est le jour des morts et de toutes leurs âmes*
> *Les enfants et les vieilles femmes*
> *Allument des bougies et des cierges*
> *Sur chaque tombe catholique*
> *Les voiles des vieilles*
> *Les nuages du ciel*
> *Sont comme des barbes de biques.*

Une autre pièce d'*Alcools* semble appuyer notre hypo-
thèse touchant la date tardive de la *Rhénane d'automne* :
c'est *la Maison des morts*, allemande elle aussi, et qui
surprendrait le lecteur par ses dimensions (elle occupe dix
pages du recueil), si elle ne l'avait déjà surpris par la
matité de son timbre :

> *S'étendant sur les côtés du cimetière*
> *La maison des morts l'encadrait comme un cloître*
> *A l'intérieur de ses vitrines*
> *Pareilles à celles des boutiques de modes*
> *Au lieu de sourire debout*
> *Les mannequins grimaçaient pour l'éternité.*

Un telle poésie déconcerte l'auditeur. D'où viennent
des vers aussi atones ? La réponse est simple, mais inattendue : ils viennent tout bonnement de la prose. D'un
conte sur le cimetière de Munich, qu'il avait publié en
1907 dans le journal *le Soleil* sous le titre de *l'Obituaire*,
Apollinaire a tiré froidement un des poèmes d'*Alcools* en
découpant sa prose en lignes inégales, mesurées seulement
par les temps d'arrêt que suggère le sens ou qu'impose
le souffle.

De pareils stratagèmes n'ont sans doute pas été étrangers à la réputation de mystificateur qu'a eue longtemps
Apollinaire, et sur laquelle il nous faudra revenir, mais ils
sont de dix ans postérieurs à son séjour en Allemagne.
Au temps de ses mélodies rhénanes, en 1901 et 1902, le
poète ne s'écartait guère des rythmes dont Nerval et
Verlaine lui avaient empli l'oreille. En ce temps-là, sa
témérité en matière de métrique ne le conduisait guère
au-delà de l'alexandrin claudicant, du vers volontairement
gauche que Francis Jammes et Henry Bataille avaient

exploité avec bonheur. En revanche, il montrait déjà une assez vive audace dans le choix des éléments de sa poésie. L'exemple ancien de Rimbaud, l'exemple tout récent de Jarry, l'enfonçaient dans la conviction qu'il n'est rien dont un véritable poète ne puisse tirer un avantageux parti. Si l'on ajoute à cela que sa curiosité naturelle, ses dons de badaud, le portaient à s'intéresser à tous les spectacles, on conçoit que sa visite de la cathédrale de Cologne, par exemple, ait pu lui inspirer des vers passablement débraillés et farcis d'anecdotes comme un tableau de Breughel :

> *Dans un bénitier plein Kobbes trempe sa trogne*
> *Près d'un cuirassier blanc qui pince sans vergogne*
> *Les fesses d'une demoiselle de Cologne*
> . . . .
> *Le Bestevater ému confesse aux trois rois mages*
> *Que sa femme a des seins mous comme des fromages*
> *Et qu'une autre Gertrude accepte ses hommages* [1].

Peu importe que le poème auquel appartiennent ces vers soit de ceux qu'Apollinaire avait gardés pour lui, et qui n'ont été publiés que récemment, selon des manuscrits souvent de premier jet. De toute évidence, la censure dont ils ont pu être l'objet de la part de l'auteur n'aura pas été motivée par l'inconvenance ou l'indignité dont tel ou tel sujet lui aurait, après coup, paru entaché. Au contraire, Apollinaire s'est constamment flatté de découvrir partout de quoi nourrir son œuvre. Dans une sorte de plaidoyer *pro domo*, il confiait en 1913 à M. Henri Martineau : « Ce n'est pas la bizarrerie qui me plaît, c'est la vie, et quand on sait voir autour de soi, on voit les choses les plus curieuses et les plus attachantes [2] ». A cet égard, ses livres prouvent qu'il ne surestimait pas ses qualités d'observateur. On y reconnaît presque à chaque page ce qu'un œil vigilant, une oreille attentive lui ont fait rapporter de tous les lieux où il a vécu, — ne fût-ce que quelques jours, — les acquêts que lui ont permis d'amasser son zèle de fureteur, son goût innocent de l'indiscrétion, son exceptionnelle aptitude à apprivoiser le voisin de table d'hôte ou de compartiment, à mettre en

---

1. *Le Guetteur mélancolique*, le Dôme de Cologne.
2. Lettre du 19 juillet 1913, publiée dans le n° 217 de la revue *le Divan*, en mars 1938.

confiance l'aubergiste ou le cocher, à obtenir les confidences suspectes de la fille ou les honnêtes secrets de l'artisan. Pour en revenir aux *Rhénanes* d'*Alcools*, aucune pièce d'Apollinaire ne montre peut-être mieux que *la Synagogue* quel aliment son art a su de bonne heure puiser dans les plus banales circonstances, dans les petits hasards quotidiens de la rue. Sans choir le moins du monde dans le didactisme, c'est avec une indéniable fidélité qu'il a mis en scène dans *la Synagogue* les juifs palatins qui l'avaient diverti par leur mimique et par la verdeur de leurs propos :

Ils se disputent et crient des choses qu'on ose à peine traduire
Bâtard conçu pendant les règles ou Que le diable entre dans
[*ton père*
Le vieux Rhin soulève sa face ruisselante et se détourne pour
[*sourire*
Ottomar Scholem et Abraham Lœweren sont en colère

Parce que pendant le sabbat on ne doit pas fumer
Tandis que les chrétiens passent avec des cigares allumés
Et parce qu'Ottomar et Abraham aiment tous deux
Lia aux yeux de brebis et dont le ventre avance un peu.

Ces deux juifs irrités ne sont en rien indignes de leur pasteur, ce « vieux rabbin prophétique de Dollendorf » que l'on rencontre dans *le Poète assassiné*, durant la nuit de Noël, au moment où, malgré une rafale de neige, il s'engage sur le pont qui relie Bonn à Beuel :

Le vieux juif sacra :
« Kreuzdonnerwetter... *je n'arriverai jamais au Haenchen... Hiver, mon vieil ami, tu ne peux rien sur ma vieille et joyeuse carcasse, laisse-moi traverser sans encombre ce vieux Rhin qui est ivre comme trente-six ivrognes. Moi-même je ne me dirige vers la noble taverne fréquentée par les Borusses qu'afin de m'y soûler en compagnie de ces bonnets blancs et à leurs dépens comme un bon chrétien, bien que je sois juif.* »

Albert Thibaudet prétendait reconnaître dans les vers de Rimbaud la poésie d'un pédestrian, d'un infatigable coureur de routes. C'était sans doute la définir de façon un peu sommaire, et celle d'Apollinaire ne saurait non plus se contenter d'un signalement aussi bref. On peut néanmoins dire d'elle qu'elle est souvent la poésie d'un flâneur. Réunissant un jour quelques-unes de ses chroniques parisiennes, Apollinaire ne s'est-il pas qualifié lui-même de « flâneur des deux rives » ? Des deux rives, certes, et même de partout. A peine avait-elle reçu le rudiment, il avait mis sa muse à l'école buissonnière et il l'y maintint toujours, pour notre plaisir, car sans cette flânerie ni ses vers ni sa prose n'auraient eu leur succulence.

Ses livres fourmillent de traits et de couleurs qui témoignent de la disposition qu'il avait à faire en tous lieux son marché de conteur et de poète. La Bavière, où Apollinaire ne fit pourtant que de courts séjours durant son année allemande, se retrouve non seulement dans *la Maison des morts* que nous citions plus haut et dans le sixième chapitre du *Poète assassiné*, mais aussi dans ses chroniques et dans ses vers, que hantent notamment les derniers spectres de la maison millénaire de Wittelsbach, les souverains déments que furent Louis II et Othon. En avril 1911, Apollinaire évoquait encore dans le *Mercure de France* le prince régent Luitpold, alors nonagénaire, et qu'il avait aperçu à Munich neuf ans auparavant :

J'ai eu l'occasion de voir ce tuteur de deux rois fous. Il a l'air d'un maître à danser du XVIIIᵉ siècle. Petit, il trépigne et il semble que ce soit en mesure. Il était, une fois où je le vis, en costume de l'ordre de Saint Georges et coiffé d'une toque empanachée. Les chevaliers l'entouraient et formaient la seule mascarade sérieuse qu'il m'ait été donné d'observer. J'assistai, debout, au banquet qui suivit. Les convives gardaient le silence. Le prince Luitpold faisait encore remuer ses pieds en mesure sous la table et son visage spirituel portait les signes d'une gaieté pleine d'insouciance. Cependant, au fond de la salle, les servantes affairées s'arrêtaient souvent pour avaler, tête renversée, un pot de bière, et, de trois minutes en trois minutes, les hérauts lançaient un appel de trompette, comme pour annoncer la venue d'un des rois fous, qui ne paraissait point.

C'est de Louis II de Bavière, l'ami de Wagner et le plus glorieux des rois insensés, qu'Apollinaire a fait *le Roi Lune*, héros d'une nouvelle fantastique [1] où le conteur affecte de fonder sa fable sur « l'opinion populaire des

---

1. Publiée le 16 octobre 1916 dans *le Mercure de France* et reprise, un peu plus tard, dans *le Poète assassiné*.

*Litho de Raoul Dufy
pour une édition
du* Poète Assassiné.

Bavarois, qui pensent que leur roi malheureux et fou n'est point mort dans les eaux sombres du Starnbergersee ». Ce sont la même folie et la même noyade que, dans sa *Chanson*, le Mal Aimé allègue comme exemples de la malignité du sort :

> *Destins destins impénétrables*
> *Rois secoués par la folie*
> . . . .
> *Un jour le roi dans l'eau d'argent*
> *Se noya puis la bouche ouverte*
> *Il s'en revint en surnageant*
> *Sur la rive dormir inerte*
> *Face tournée au ciel changeant.*

Riche d'un abondant folklore, Cologne retint davantage encore la curiosité d'Apollinaire. Aucun lieu ne pouvait lui convenir mieux que cette ancienne « Rome du Nord » dont les femmes avaient jadis séduit Pétrarque par leur grâce et leur tendresse. L'histoire et la fable s'y trouvaient étroitement mêlées. Selon un conte médiéval, un des architectes de sa cathédrale n'était-il pas mort de la mélancolie où l'avait jeté un maléfice de Satan ? C'est à cette légende que se rapportent les premiers vers du *Dôme de Cologne* :

Ton dernier architecte ô Dôme devint fou
Ça prouve clairement que le bon Dieu se fout
De ceux qui travaillent à sa plus grande gloire [1].

Dans *l'Enchanteur pourrissant*, le faux Balthazar, le faux Gaspar et le faux Melchior qu'une ombre au lieu d'une étoile dirige vers le sépulcre de Merlin pour qu'ils y déposent, en guise de présents, du sel, du soufre et du mercure, sont les « trois fantômes de rois orientaux venus d'Allemagne », et plus précisément d'une des châsses de la cathédrale où Cologne se flatte de conserver les corps entiers des trois rois mages. Le titre même d'un ouvrage clandestin d'Apollinaire, *les Onze mille verges* [2], n'est que l'écho indécent d'une légende coloniale, celle des onze mille vierges rhénanes endoctrinées par sainte Ursule et qui, avec leur supérieure et leurs onze mille fiancés, auraient été massacrées par les Huns, comme le racontait encore, au XVIIe siècle, le Père Crumbach, auteur d'une naïve *Ursula vindicata*, imprimée à Cologne.

On retrouve un rappel de ces diverses fables dans le poème d'*Alcools* intitulé *Cortège*, où Apollinaire, s'attribuant une perspicacité proche de la divination, s'écrie :

O Corneille Agrippa l'odeur d'un petit chien m'eût suffi
Pour décrire exactement tes concitoyens de Cologne
Leurs rois mages et la ribambelle ursuline
Qui t'inspirait l'erreur touchant toutes les femmes.

Nous ne disputerons pas aux épigones d'Agrippa, c'est-à-dire aux occultistes, le soin de déterminer en quelle erreur universelle les onze mille vierges qui escortaient Ursule avaient pu induire leur maître. En ce qui concerne Apollinaire, il est clair que l'infortune de la « ribambelle ursuline » l'a moins ému qu'amusé. Sa sympathie réclamait des personnages plus affirmés, des héroïnes dont la silhouette fût plus avantageuse, telle la Loreley, ou mieux encore cette Juliette Blaesius qui, par amour, lia son sort à celui du brigand Schinderhannes, et que les *Rhénanes*, la traitant sans hargne de « bandit en cotillon », présentent comme une joyeuse paillarde :

---

1. *Le Guetteur mélancolique*, p. 55.
2. Publié sous le manteau en 1907 par un imprimeur de Malakoff.

Cette brigande est bientôt soûle
Et veut Hannes qui n'en veut pas
Pas d'amour maintenant ma poule
Sers-nous un bon petit repas.

Vieille de cent ans au début de notre siècle, l'histoire de Schinderhannes attendrissait encore le menu peuple, artisans et vignerons, qu'Apollinaire prit plaisir à regarder vivre dans les villages rhénans. La tradition orale avait fait du cruel rançonneur une sorte de redresseur de torts dont la chanson et l'image magnifiaient les exploits. Pour ses compatriotes, Schinderhannes était devenu un personnage aussi populaire que Mandrin l'avait été dans la vallée du Rhône, et même une sorte de héros national, son exécution à Mayence ayant eu lieu en un temps où le pays subissait la loi de Bonaparte. Entre l'écorcheur, détrousseur de juifs et trousseur de filles, et son vainqueur, l'austère Jean Bon Saint-André, préfet du Mont-Tonnerre, la Rhénanie ne balançait point : son cœur allait au bandit et, n'ayant plus à le redouter, elle le chantait avec ferveur.

Apollinaire avait encore en tête ces complaintes allemandes quand il écrivait en avril 1903 dans *la Revue Blanche*, à propos de la tiare de Saïtaphernès qui défrayait alors la chronique :

J'ai vu travailler un faussaire à Honnef, au bord du Rhin. C'était un vieillard fort bizarre, vivant en ermite et ne voyant que les étrangers qui venaient lui acheter des antiquailles. Cet homme avait pour spécialité de fabriquer de fausses poteries de Siegburg. Il m'avait pris en amitié et je le vis une fois agenouillé dans son jardinet et salissant avec de la terre humide des poteries neuves qu'il vendit quelques mois après à un pasteur protestant amateur d'antiquités rhénanes. Ce faussaire n'était parfaitement heureux que les jours où il avait maquillé quelque fausseté. Il l'admirait ensuite en souriant et disait : « J'ai fabriqué un dieu, un faux dieu, un vrai joli faux dieu ». Puis il prenait sa guitare et chantait, en tordant sa bouche édentée, de vieilles chansons allemandes qui célébraient Kaetchen de Heilbronn [1] ou Schinderhannes.

---

1. Héroïne d'un drame de Heinrich von Kleist.

« Neu Glück », c'est-à-dire « Bonheur nouveau »,
villa de la vicomtesse de Milhau à Bennerscheid.

ANNIE ET LE MAL AIMÉ

Le plus fameux, le plus important et peut-être le meilleur des poèmes d'Apollinaire n'est pas une *Rhénane*, mais sous le titre de *Chanson du Mal Aimé*, c'est la chanson d'un élégiaque dont le Rhin a au moins vu naître l'amour malheureux. Ce fut en effet peu après son entrée chez la vicomtesse de Milhau, à Honnef ou à Bennerscheid, que Guillaume Apollinaire commença à s'éprendre de la jeune gouvernante anglaise qu'il avait pour collègue. Une *Rhénane* qu'il n'avait pas publiée évoque cet oaristys :

> *Nous parlions dans le vent auprès d'un petit mur*
> *Où lisions l'inscription d'une pierre mise*
> *A cette place en souvenir d'un meurtre et sur*
> *Laquelle bien souvent tu t'es longtemps assise*

> *— Gottfried apprenti de Brühl l'an seize cent trente*
> *Ici fut assassiné*
> *Sa fiancée en eut une douleur touchante*
> Requiem æternam dona ei Domine —

> *Le soleil au déclin empourprait la montagne*
> *Et notre amour saignait comme les groseilliers*
> *Puis étoilant ce pâle automne d'Allemagne*
> *La nuit pleurant des lueurs mourait à nos pieds* [1].

Le « pâle automne » dont il est question ici est celui de 1901. Apollinaire n'était en Rhénanie, auprès d'Annie Playden, que depuis le mois d'août. En s'empressant de dire « notre amour », peut-être gâtait-il sa chance. Les sentiments les plus impérieux sont rarement ceux qui se voient payés de retour. Ce que l'on a su peu à peu de cette

---

1. *Le Guetteur mélancolique*, Elégie.

idylle, tant par des lettres d'Apollinaire [1] que par Mademoiselle Playden elle-même [2], donne à penser que la jeune gouvernante n'eût peut-être pas toujours dit non au précepteur si celui-ci ne l'avait très vite effarouchée par sa fougue. Mais qu'importe qu'Apollinaire se soit montré maladroit en matière de stratégie amoureuse : en laissant s'épancher dans ses vers son cœur meurtri, il s'est sans doute concilié plus de faveur que ne lui en eût gagné un donjuanisme habile, car il est difficile de croire que la poésie qu'auraient pu lui inspirer le triomphe, le contentement ou la satiété eût été aussi prenante que celle qu'ont fait naître ses amours rebutées.

L'ombre d'Annie Playden recouvre toute une partie d'*Alcools*. Si la présence de la jeune Anglaise est discrète dans les *Rhénanes*, où l'on ne relève guère d'allusion directe qu'à ses mains ou à ses yeux :

> *Les pétales tombés des cerisiers de mai*
> *Sont les ongles de celle que j'ai tant aimée*
> *Les pétales flétris sont comme ses paupières*

elle s'y trahit pourtant à l'accent de mélancolie qui se prolonge d'un poème à l'autre ; dans *Mai* :

> *Le mai le joli mai en barque sur le Rhin*
> *Des dames regardaient du haut de la montagne*
> *Vous êtes si jolies mais la barque s'éloigne*
> *Qui donc a fait pleurer les saules riverains*

dans *la Loreley* :

> *Mon cœur me fait si mal il faut bien que je meure*
> *Si je me regardais, il faudrait que j'en meure*

dans *les Sapins* :

> *Les sapins beaux musiciens*
> *Chantent des noëls anciens*
> *Au vent des soirs d'automne*

dans *les Femmes* :

> *— Il me faut du sucre candi Leni je tousse*

---

1. *Tendre comme le souvenir*, p. 70.
2. Cf. Robert GOFFIN, *Entrer en poésie*, Bruxelles, 1948, et l'article de L. C. BREUNIG, *Apollinaire et Annie Playden*, dans *le Mercure de France*, n° d'avril 1952.

MISS ANNIE PLAYDEN

— *Pierre mène son furet chasser les lapins*
Le vent faisait danser en rond tous les sapins
Lotte l'amour rend triste — Ilse la vie est douce.

Pour Apollinaire, la douceur de la vie rhénane n'aura
pas été sans amertume. Devant les refus d'Annie, il a
même trouvé à cette douceur un goût de poison. Il l'a dit

dans un poème d'*Alcools* intitulé *les Colchiques* et qui, quoiqu'il l'ait distrait du groupe des *Rhénanes*, n'en appartient pas moins à sa période germanique, comme plusieurs autres pièces du même recueil (*le Vent nocturne, la Tzigane, Automne, Automne malade,* etc). Le paysage des *Colchiques* est exactement celui de l'automne rhénan, qu'Apollinaire finit par associer à l'image personnelle qu'il se faisait de tout amour. Dans un poème de 1911, il a nommé l'automne sa « saison mentale »[1]. Elle l'était au moins devenue depuis 1901, depuis qu'il avait aimé sans voir son amour partagé. Les vers des *Colchiques* expriment cette amertume comme ceux d'*Automne malade* déplorent à voix basse la fuite des jours que l'amour n'a pas comblés :

> Le pré est vénéneux mais joli en automne
> Les vaches y paissant lentement s'empoisonnent
> Le colchique couleur de cerne et de lilas
> Y fleurit Tes yeux sont comme cette fleur-là
> Violâtres comme leur cerne et comme cet automne
> Et ma vie pour tes yeux lentement s'empoisonne[2].
> . . . .
> Les feuilles
> Qu'on foule
> Un train
> Qui roule
> La vie
> S'écoule[3].

Mais si mélancoliques qu'ils soient, les vers rhénans d'Apollinaire n'atteignent pas à la désolation du « Mal Aimé ». Auprès d'Annie, chez la vicomtesse de Milhau, Apollinaire insistait, s'emportait, menaçait, mais ne désespérait pas encore. En outre, la nouveauté que lui offrait l'Allemagne venait à de certains moments le distraire un peu de sa passion. Quelques jours de congé lui permettaient un voyage circulaire, quelques heures une visite à Cologne ou à Dusseldorf.

---

1. Poème dont le premier titre (*Stance*) et le style rappellent Moréas ; publié d'abord dans le n° 6 de la revue *Schéhérazade*, 15 mars 1911, et repris dans *Alcools* sous le titre de *Signe*.
2. *Alcools*, Les Colchiques.
3. *Alcools*, Automne malade.

A COLOGNE,
EN 1902.

A Cologne, au moins, les ardeurs de ses vingt-et-un
ans pouvaient se dépenser librement. Son poème sur la
cathédrale et son dôme cite un prénom féminin qui ne
paraît pas s'être appliqué à une créature imaginaire.

> *Marizibill qui chante en doux plat-allemand*
> *T'élit pour rendez-vous avec son gros amant*
> *Drikkes imberbe et roux qui rote éperdument* [1].

Il s'agit évidemment de la même Marizibill ou Marie-
Sibylle, dont un court poème d'*Alcools*, et des plus réussis,
porte le nom :

> *Dans la Haute Rue à Cologne*
> *Elle allait et venait le soir*
> *Offerte à tous en tout mignonne*

---

1. *Le Guetteur mélancolique*, Le Dôme de Cologne.

Puis buvait lasse des trottoirs
Très tard dans les brasseries borgnes

Elle se mettait sur la paille
Pour un maquereau roux et rose

Ce maquereau ne laisse pas de ressembler au gros Drikkes « imberbe et roux » ; pourtant ce n'est pas à ce rousseau juif , « qui sentait l'ail », qu'Apollinaire aura voulu nous intéresser : quelques adjectifs lui suffisent à nous rassasier du personnage, tandis qu'au contraire la silhouette évanescente de Marizibill s'impose à l'esprit. Ce n'est pas en vain que la petite prostituée qui chantait en *platt deutsch* se sera montrée « en tout mignonne » avec le poète : celui-ci l'a fait passer à la postérité. S'il ne nous a livré d'elle qu'une image floue, soyons assuré que cela ne tient pas à l'éclairage médiocre du trottoir ou de la taverne. Car si véridique que soit le décor urbain où Apollinaire la fait déambuler, Marizibill ne vient pas seulement de la Haute Rue de Cologne ; elle est née aussi de l'heureuse conjonction de la lecture et de l'art. Nous pouvons ignorer sans regret son nom patronymique ; du moins connaissons-nous quelques douces filles de sa parenté depuis que Thomas de Quincey nous a parlé d'Anne et que Marcel Schwob nous a chuchoté le monologue de Monelle.

De retour à Paris à la fin du mois d'août 1902, Apollinaire eut beau s'y abandonner à quelques amours de rencontre, le souvenir d'Annie Playden continua de l'obséder. En septembre 1903 puis en mai 1904, il alla la revoir à Londres, mais n'obtint rien d'elle : ni son cœur ni sa main. Il ne parvint qu'à se faire redouter, et la jeune Anglaise finit par partir pour les États-Unis, sans laisser d'adresse à ce dangereux « Kostro », qu'elle croyait fils de quelque général Dourakine et riche au moins de l'espérance d'un héritage.

Pendant trois ans, Apollinaire n'avait guère eu qu'Annie en tête. Quoi d'étonnant, après cela, que son premier recueil de poèmes se soit trouvé à moitié empli du souvenir doux-amer de l'Anglaise enfuie ? *La Chanson du Mal Aimé* n'est que la transcription lyrique d'une quête infructueuse où se confondent les saisons et les lieux, les vapeurs du Rhin et les brouillards de Londres, et qui n'a comporté pour tous événements que des prières, des supplications, des menaces et des refus. Apollinaire avait d'ailleurs envisagé de donner le titre de *Roman du Mal Aimé* à son poème, dont la composition semble s'être faite en plusieurs temps. La première publication de la chanson eut lieu dans le numéro du *Mercure de France* du 1er mai 1909, mais le manuscrit en avait été confié à la revue depuis plusieurs mois. D'évidence, certaines parties avaient été écrites de bonne heure. La strophe thématique :

> *Moi qui sais des lais pour les reines*
> *Les complaintes de mes années*
> *Des hymnes d'esclave aux murènes*
> *La romance du mal aimé*
> *Et des chansons pour les sirènes*

reprend même des vers antérieurs au séjour rhénan d'Apollinaire et à la rencontre d'Annie, puisque, dans un poème adressé en juin 1901 à une jeune fille de dix-sept ans, Mademoiselle Linda Molina, on peut déjà lire :

> *Et moi qui tiens en ma cervelle*
> *La vérité plus que nouvelle*
> *Et que, plaise à Dieu, je révèle*
> *De l'enchanteur qui la farda*
> *Du sens des énigmes sereines,*
> *Moi qui sais des lais pour les reines*
> *Et des chansons pour les sirènes...* [1].

En dépit de l'assurance qui s'exprimait déjà dans ces vers, les sirènes ne se sont pas laissé séduire par le trouvère. Linda ne l'avait écouté que d'une oreille distraite ; Annie ne sut même pas reconnaître un poète dans cet amoureux dont l'emportement lui faisait peur.

Quelle que soit la valeur de beaucoup de pièces d'*Alcools*, *la Chanson du Mal Aimé* les égale toujours, les surclasse souvent et les écrase quelque peu sous l'ampleur, exceptionnelle chez Apollinaire, de ses dimensions. Soixante strophes de cinq vers, c'est beaucoup, de nos jours pour un seul poème : mais cette longueur se justifie quand ce poème se trouve être, comme l'avaient été les complaintes de Rutebeuf, la chronique de plusieurs années. En raison

---

1. Cf. *Il y a*, p. 59.

même de son étendue, *la Chanson du Mal Aimé* a ses zones de soleil et ses zones d'ombre, ses clairières et ses taillis. On y peut circuler. Le temps paraît parfois y ralentir son allure et parfois y dévider son écheveau sur un rythme vertigineux :

> *Les démons du hasard selon*
> *Le chant du firmanent nous mènent*
> *A sons perdus les violons*
> *Font danser notre race humaine*
> *Sur la descente à reculons.*

Les différences de latitude qui s'y révèlent peuvent passer inaperçues du lecteur que captive la musique du vers ou que ravit l'éclat des images ; elles ne sauraient échapper à qui relit le poème et s'y attarde. Le commentateur le plus attentif de la *Chanson*, M. L. C. Breunig, a fort bien distingué la variété de lieux et de temps qu'impliquait nécessairement cette relation d'un amour : « C'est, dit-il, la demi-brume d'un soir automnal et Londres qui donne le décor des premières strophes. En décembre [1903], Apollinaire était déjà de retour à Paris. Or si l'on croit que l'œuvre fut composée d'un trait ininterrompu, comment expliquer la conclusion qui débute par la strophe :

> *Juin ton soleil ardente lyre*
> *Brûle mes doigts endoloris*
> *Triste et mélodieux délire*
> *J'erre à travers mon beau Paris*
> *Sans avoir le cœur d'y mourir.*

« Est-ce un juin purement imaginaire ? Nous ne le croyons point. [1] »

Nous ne le croyons pas non plus ; il ne peut s'agir ici que d'un seul mois de juin, celui de 1904, à partir duquel le poète savait qu'il ne reverrait plus Annie, dont tout un océan le séparait désormais. En fait, l'imagination n'est intervenue que de façon accessoire dans la composition de *la Chanson du Mal Aimé*. Sans doute est-ce à elle que le poème doit sa broderie, mais c'est la passion seule qui en a ourdi la trame. La part de l'imagination ? on peut

---

1. *Mercure de France*, avril 1952.

l'y déceler dès la première lecture : à elle l'irruption des Cosaques Zaporogues, le rappel des Argyraspides d'Alexandre ou l'espadon satyrique qu'expose l'Hermès Ernest. Mais sous ce bariolage affleurent constamment les souvenirs personnels dont tout le poème est tissu. Seul son désordre chronologique empêche qu'on ne saisisse immédiatement, et dans tous ses détails, la confidence du Mal Aimé. Car il en va d'elle comme de presque toutes les confidences douloureuses : elle ne nous est livrée que par bribes, il lui arrive d'être balbutiée plutôt que dite et parfois même de s'étouffer dans un sanglot. Loin d'être construite comme un discours, elle trahit par ses changements soudains de registre la déraison passionnée qui la provoque. Si elle ne commence pas tout à fait par la fin de l'amour qu'elle raconte, elle ne commence pas non plus par l'évocation de son aurore. Ce n'est qu'à sa seizième strophe que le Mal Aimé en vient à la jeunesse de cet amour, dans les vers de l' « Aubade chantée à Lætare l'an passé », qui, à la place où ils s'insèrent, apparaissent comme un sourire dans un visage baigné de larmes :

> *Viens ma tendresse est la régente*
> *De la floraison qui paraît*
> *La nature est belle et touchante*
> *Pan sifflote dans la forêt*
> *Les grenouilles humides chantent.*

Les strophes qui suivent cette aubade montrent que les souvenirs qu'elle soulevait déchiraient le poète. Quand, à l'automne de 1903,

> *Un soir de demi-brume à Londres*

il se remémorait le printemps rhénan de l'année précédente et les espoirs qu'il avait alors nourris, les mots qui lui venaient aux lèvres prenaient les accents de détresse d'un enfant perdu. Les refus, sans violence mais sans équivoque, que lui opposait Annie s'accordaient à la tristesse des quais de la Tamise, au brouillard à travers lequel les lumières de la ville lui semblaient des plaies sanguinolentes. Le temps n'était plus de chanter : *Lætare*...

Pour souligner la cruauté de son sort, le poète a comparé à son infortune la félicité qu'avaient connue Ulysse et Douchmanta :

Lorsqu'il fut de retour enfin
Dans sa patrie le sage Ulysse
Son vieux chien de lui se souvint
Près d'un tapis de haute lisse
Sa femme attendait qu'il revînt

L'époux royal de Sacontale
Las de vaincre se réjouit
Quand il la retrouva plus pâle
D'attente et d'amour yeux pâlis
Caressant sa gazelle mâle

J'ai pensé à ces rois heureux
Lorsque le faux amour et celle
Dont je suis encore amoureux
Heurtant leurs ombres infidèles
Me rendirent si malheureux.

Ces références à la légende grecque ou hindoue ne doivent pas faire suspecter la sincérité de la *Chanson*. Elles font partie de ce que nous avons nommé la broderie du poème. Apollinaire, qui se mouvait dans la fable comme dans son élément, doit d'ailleurs à celle-ci trop de bonheurs poétiques pour qu'on puisse lui reprocher ses fréquents recours à une mémoire bien lestée :

Mon beau navire ô ma mémoire.

Mais ce n'est pas pour ses strophes savantes que la *Chanson* continuera longtemps d'être chantée. Le poète n'est même jamais plus émouvant que lorsque, la fable se retirant de sa complainte, il ne lui reste plus, pour se faire entendre que le langage des cœurs simples :

Mais en vérité je l'attends
Avec mon cœur avec mon âme
Et sur le pont des Reviens-t'en
Si jamais revient cette femme
Je lui dirai Je suis content.

Annie partie au loin, Apollinaire l'a chantée encore. Qui sait même s'il n'a pas projeté un instant de franchir l'océan, lui aussi, et de la rechercher à travers l'Amérique, comme pourrait le donner à penser un autre poème d'*Al-*

cools, *l'Émigrant de Landor Road*, dont le titre constituait
une énigme avant qu'on ne sût que Landor Road était,
à Clapham, dans la banlieue de Londres, la rue qu'habitait
Annie quand il était allé la revoir.

Quand il fait dire à son Émigrant :

> *Mon bateau partira demain pour l'Amérique*
> *Et je ne reviendrai jamais*
> *Avec l'argent gagné dans les prairies lyriques*
> *Guider mon ombre aveugle en ces rues que j'aimais*

à qui, sinon à lui-même, Apollinaire aurait-il pu penser ?

Il a dû pourtant se résigner à ne revoir Annie qu'en
songe, à l'imaginer

> *Sur la côte du Texas*
> *Entre Mobile et Galveston*

dans le « grand jardin tout plein de roses », qu'évoque le
poème auquel il a donné le nom de la fugitive :

> *Une femme se promène souvent*
> *Dans le jardin toute seule*
> *Et quand je passe sur la route bordée de tilleuls*
> *Nous nous regardons.*

Il n'a pu s'aventurer que dans ses vers sur cette route
côtière qui l'eût mené du Texas à la Louisiane et dont il
a peut-être demandé au Hasard l'indication, en fermant
les yeux avant de piquer d'une épingle, dans son ancien
atlas d'écolier, la carte des États-Unis.

Il savait qu'il ne lui serait plus accordé de retrouver
Annie. La prescience qu'il a eu souvent de son propre avenir ne lui laissait pas d'illusion à cet égard. Il ne s'est pas
mépris en écrivant les cinq vers qui composent le discret
poème de *l'Adieu* :

> *J'ai cueilli ce brin de bruyère*
> *L'automne est morte souviens-t'en*
> *Nous ne nous verrons plus sur terre*
> *Odeur du temps brin de bruyère*
> *Et souviens-toi que je t'attends.*

MARIE LAURENCIN EN 1913.

« AUTEUIL, QUARTIER CHARMANT DE MES GRANDES TRISTESSES »

Entre le jour de mai 1904 où Apollinaire avait vu Annie Playden pour la dernière fois et le jour où il acheva d'écrire *la Chanson du Mal Aimé,* des mois, peut-être même deux ou trois années, s'écoulèrent. Il fallut ensuite un non moins long délai pour que le poème fût publié. C'est ce qui explique qu'au moment d'en signer le bon à tirer, Apollinaire ait été amené à lui donner pour épigraphe une strophe supplémentaire, qui à la fois souligne le caractère autobiographique de la *Chanson* et révèle qu'une autre passion consume désormais le « Mal Aimé » :

> *Et je chantais cette romance*
> *En 1903 sans savoir*
> *Que mon amour à la semblance*
> *Du beau Phénix s'il meurt un soir*
> *Le matin voit sa renaissance.*

Le nom de celle qu'Apollinaire reconnaissait ainsi pour sa nouvelle maîtresse est aujourd'hui célèbre. On hésiterait à le dire s'il n'avait déjà été prononcé maintes fois. On voudrait pouvoir observer le même silence que cette inspiratrice du poète, qui, désignée publiquement depuis plus de vingt-cinq ans, a su ne pas se départir d'une discrétion qui l'honore. Mais comment taire le nom de Marie Laurencin, quand ses plus anciens amis l'associent ouvertement à celui d'Apollinaire et que l'édition récente de nombreuses lettres du poète est venue répandre encore ce secret de Polichinelle ? Pour notre part, nous nous efforcerons de ne rien ajouter à ce qui a été déjà divulgué de cet amour. Ainsi nous seront peut-être épargnées des erreurs aussi grosses que celle où tombe, par exemple, M. Francis Carco, quand, dans un recueil de souvenirs, il prétend reconnaître en Marie Laurencin l'héroïne de *la Chanson du Mal Aimé* qui avait « rendu Guillaume si malheureux [1] ».

Mieux informée, Mme Louise Faure-Favier, qui a consacré à son amie Marie Laurencin plusieurs chapitres de son livre sur Apollinaire [2], altère toutefois quelque peu la chronologie en situant en mai 1914 une rupture qui désola le poète. Même si les lettres et la biographie d'Apollinaire publiées en 1952 par M. Marcel Adéma n'étaient venues corriger cette erreur de date, le texte d'*Alcools*, édité dès la fin d'avril 1913, imposait à lui seul une rectification. Dès ses premières pages, *Alcools* fait allusion à deux amours malheureuses :

> *Tu as souffert de l'amour à vingt et à trente ans*

et la seconde de ces passions est évidemment celle qui fait de *Zone* un « *poème de fin d'amour* », pour reprendre l'expression même de l'auteur [3].

C'est en 1907 qu'Apollinaire avait rencontré dans la boutique de Clovis Sagot, marchand de tableaux rue Laffitte, une jeune artiste, à peu près inconnue, mais dont Picasso lui avait parlé avec sympathie : Mlle Marie Laurencin. En ce temps-là, Marie Laurencin et sa mère demeuraient dans le quartier de La Chapelle, d'où elles devaient un peu plus tard déménager pour venir habiter Auteuil, tandis qu'Apollinaire, de son côté, allait quitter la rue Henner et les premières pentes de Montmartre pour prendre logement rue Gros, proche la Seine, aux confins d'Auteuil et de Passy. Les vers chantants de *la Boucle retrouvée* où ces divers quartiers de Paris sont nommés ne peuvent se rapporter qu'à celle qu'Apollinaire y a aimée :

> *Il retrouve dans sa mémoire*
> *La boucle de cheveux châtains*
> *T'en souvient-il à n'y point croire*
> *De nos deux étranges destins*
>
> *Du boulevard de la Chapelle*
> *Du joli Montmartre et d'Auteuil* [4].

---

1. *De Montmartre au Quartier Latin*, Albin Michel, 1927, pp. 98-100.
2. *Souvenirs sur Guillaume Apollinaire*, Bernard Grasset, 1945.
3. Cf. *Tendre comme le souvenir*, p. 68.
4. *Calligrammes*.

GUILLAUME APOLLINAIRE ET SES AMIS,
par Marie Laurencin (1909).

LE PONT MIRABEAU,
par le douanier Rousseau.

Le nom de Mlle Laurencin figure en toutes lettres en tête d'un petit poème d'*Alcools* intitulé *Crépuscule*, et d'où le souvenir des images dues au pinceau de la jeune artiste ne nous semble pas absent. Car si « l'arlequin blême » apparu dans ce *Crépuscule* rappelle un peu les baladins efflanqués que peignait Picasso aux environs de 1905, le tableau que composent ces cinq quatrains ne laisse pas de trahir aussi quelque parenté avec les aquarelles de Marie Laurencin. Il suffit de lire :

> *L'aveugle berce un bel enfant*
> *La biche passe avec ses faons*

pour être transporté non plus devant les tréteaux où paradent les saltimbanques de Picasso, mais dans l'univers féerique que les créatures de Mlle Laurencin, nourries de fleurs et de songes, regardent de leurs grands yeux étonnés de biche ou de gazelle.

La mélodie du *Pont Mirabeau* est une autre « Chanson du Mal Aimé ». L'inspiratrice seule a changé :

> *L'amour s'en va comme cette eau courante*
> *L'amour s'en va*
> *Comme la vie est lente*
> *Et comme l'Espérance est violente*
>
> *Vienne la nuit sonne l'heure*
> *Les jours s'en vont je demeure*
>
> *Passent les jours et passent les semaines*
> *Ni temps passé*
> *Ni les amours reviennent*
> *Sous le pont Mirabeau coule la Seine.*

Sans doute, aucun nom de femme n'est-il même murmuré dans le *Pont Mirabeau*, mais comment pourrait-on imaginer que ces vers, où la Seine et l'amour fuient ensemble, aient eu une autre origine que ceux du poème simplement intitulé *Marie* :

> *Quand donc reviendrez-vous Marie*

et que la Seine baigne également :

> *Sais-je où s'en iront tes cheveux*
> *Crépus comme mer qui moutonne*
> *Sais-je où s'en iront tes cheveux*
> *Et tes mains feuilles de l'automne*

APOLLINAIRE

Que jonchent aussi nos aveux

Je passais au bord de la Seine
Un livre ancien sous le bras
Le fleuve est pareil à ma peine
Il s'écoule et ne tarit pas
Quand donc finira la semaine

Ces vers-là sont de la fin de 1912 ou des premiers jours de 1913, c'est-à-dire du moment où, pour ne plus retourner chaque soir dans un quartier désormais lié pour lui à trop de souvenirs douloureux, Apollinaire s'installait boulevard Saint-Germain, à l'angle de la rue Saint-Guillaume.

En 1917, il évoquait encore Auteuil avec attendrissement dans une des chroniques qu'il a réunies lui-même pour en faire *le Flâneur des deux rives* :

Les hommes ne se séparent de rien sans regret, et même les lieux, les choses et les gens qui les rendirent le plus malheureux, ils ne les abandonnent point sans douleur.

C'est ainsi qu'en 1912, je ne vous quittai pas sans amertume, lointain Auteuil, quartier charmant de mes grandes tristesses. Je n'y devais revenir qu'en l'an 1916 pour être trépané à la villa Molière.

Inutile de chercher une référence plus directe aux amours d'Apollinaire dans ce *Souvenir d'Auteuil*, mais la gentillesse et la mélancolie qui en emplissent toutes les pages attestent que ni le temps ni la guerre n'avaient effacé de l'esprit du poète l'image de Marie Laurencin. Quand le « flâneur » nous invite à descendre avec lui vers la Seine :

C'est un fleuve adorable. On ne se lasse point de le regarder. Je l'ai chantée bien souvent en ses aspects diurnes et nocturnes...

pourrait-on ne pas deviner que le mot « adorable » s'applique ici non seulement au fleuve, mais encore à une ombre féminine dont on ne dit rien, de peur, peut-être, de pleurer ?

*L'immeuble du 202 boulevard Saint-Germain,
au dernier étage duquel Apollinaire vint s'installer en janvier 1913
et où il est mort le 9 novembre 1918.*

APOLLINAIRE
par Jean Metzinger

A LA SANTÉ

Mme Louise Faure-Favier rapporte dans son livre une conversation qu'elle eut il y a quelques années avec Marie Laurencin :

« Pourquoi, Marie, n'avez-vous pas épousé Guillaume ? vous le connaissiez depuis longtemps ?

— Depuis 1907. Au début, il fut question de mariage. Mais Mme de Kostrowitzky, sa mère, ne me trouvait pas assez riche. Après 1911, ce fut ma mère qui ne voulut pas de Guillaume. Chacune son tour ! »

Apparemment, il ne s'agit là que d'une explication partielle, dont on ne peut que rapprocher le commentaire, non moins compendieux, qu'Apollinaire donnait des mêmes amours, en juillet 1915, dans une lettre adressée du front à la fiancée qu'il avait alors :

En 1907, j'ai eu pour une jeune fille qui était peintre un goût esthétique qui confinait à l'admiration et participe encore de ce sentiment. Elle m'aimait ou le croyait ou je crus ou plutôt m'efforçai de l'aimer, car je ne l'aimais pas alors. Nous n'étions connus en ce temps-là ni l'un ni l'autre et je commençais mes méditations et écrits esthétiques qui devaient avoir une influence en Europe et même ailleurs. Je puis dire que je fis mon possible pour faire partager mon admiration à l'univers. Elle voulait que nous nous mariions, ce que je ne voulus jamais ; cela dura jusqu'en 1913 où elle ne m'aima plus. C'était fini, mais tant de temps passé ensemble, tant de souvenirs communs, tout cela s'en allant, j'en eus une angoisse que je pris pour de l'amour et je souffris jusqu'au moment de la guerre [1].

------

1. Cf. *Tendre comme le souvenir*, p. 68.

De la réponse de Marie Laurencin à Mme Faure-Favier, il est une phrase, dite en passant, qu'il est permis de détacher sans être indiscret, et qui intéresse directement la biographie du poète : « Après 1911, ce fut ma mère qui ne voulut pas de Guillaume ». Le motif de ce revirement se découvre aisément quand on se reporte à l'histoire d'Apollinaire : c'est en 1911 que sa mauvaise étoile l'avait conduit à la prison de la Santé, où il fut incarcéré du 7 au 13 septembre. Un magistrat inepte, nommé Drioux, l'avait fait écrouer, voulant à toute force qu'il fût complice de larcins commis au musée du Louvre par un Belge dévoyé, avec lequel il avait lié amitié vers 1905 alors qu'ils travaillaient tous deux à la rédaction d'une feuille financière. Au cours de visites du Louvre, Géry Piéret avait dérobé au musée, en 1907, deux statuettes phéniciennes, moins, semble-t-il, dans le dessein de les négocier que par divertissement et dans un esprit que l'on pourrait qualifier de sportif. Qu'ils eussent ou non constaté l'absence de ces deux pièces de collection, les conservateurs du musée n'avaient mené aucun bruit autour de leur perte, et si Piéret se vanta alors de son double exploit auprès d'Apollinaire on peut présumer que celui-ci tint d'abord son récit pour une hâblerie. Piéret était d'ailleurs quelque peu mythomane, mais comme sa mythomanie allait de pair avec une grande assurance, une désinvolture plaisante, une indéniable audace et la connaissance de plusieurs langues, il était en fin de compte malaisé de faire, dans les propos époustouflants de ce Belge deux fois déserteur, le départ du réel et de la fable. C'est de Piéret qu'Apollinaire avait tiré les « histoires et aventures du baron d'Ormesan » groupées dans *l'Hérésiarque et Cie* sous le titre de *l'Amphion faux messie*, et où l'on trouve notamment la description de *l'antiopée* que ce nouvel Amphion, sous les apparences d'un guide pour étrangers, compose devant des touristes éblouis par sa faconde :

Une troupe d'étrangers sortit de l'hôtel ; le baron se précipita et leur parla dans leur langue. Il m'appela ensuite :

— Vous le voyez, je suis polyglotte. Mais, venez avec nous. Je vais exécuter à ces touristes une antiopée résumée, quelque chose comme un sonnet amphionique. C'est un des morceaux qui me rapportent le plus. Il est intitulé: Lutèce,

*et, grâce à certaines licences non poétiques mais amphio-
niques, il me permet de montrer tout Paris en une demi-heure.*

*Nous montâmes, les touristes, le baron et moi, sur l'impé-
riale de l'omnibus Madeleine-Bastille. En passant devant
l'Opéra, le baron d'Ormesan l'annonça à haute voix. Il
ajouta, en indiquant la succursale du Comptoir d'Escompte :*

— Palais du Luxembourg, le Sénat.

Devant le Napolitain, il dit emphatiquement :

— L'Académie française.

*Devant le Crédit Lyonnais, il annonça l'Élysée, et, conti-
nuant de cette façon, il avait montré, lorsque nous arrivâmes
à la Bastille : nos principaux musées, Notre-Dame, le
Panthéon, la Madeleine, les grands magasins, les ministères
et les demeures de nos hommes illustres morts et vivants ;
enfin, tout ce qu'un étranger doit voir à Paris.*

*Un portrait d'Apollinaire fort peu connu. Il est dû
à Géry Piéret, et date de l'époque où celui-ci
faisait au Musée du Louvre d'audacieux emprunts.*

Quelque temps après ses explorations du Louvre, Piéret était passé à d'autres exercices. Il avait voyagé ; peut-être avait-il poussé jusqu'aux États-Unis, comme il le laisse entendre dans le seul écrit qu'on ait de lui : *Hands up !* courte nouvelle insérée en octobre 1911 dans la revue *les Marges*, et qui montre, à San Francisco semble-t-il, un certain Robert Astuce détroussant un champion de boxe et son manager, tenus en respect sous la seule menace d'un index braqué à la façon d'un revolver. En tout cas, au début de 1911, Piéret se trouvait de nouveau à Paris, riche seulement d'un complet de bonne coupe, qu'il disait provenir du meilleur tailleur de New-York. Apollinaire, que le personnage amusait, l'hébergea et le prit en quelque sorte pour factotum. Ses services, qui allaient du lavage de la vaisselle jusqu'à de vagues besognes de secrétariat, laissaient toutefois à Piéret assez de loisir pour qu'il pût se remettre à picorer dans les collections nationales. En mai, il empruntait aux antiquités du Louvre une tête de femme taillée dans la pierre et dont la coiffure roulée en torsades rappelait, paraît-il, celle de Mme Delarue-Mardrus.

Comme les précédents, ce vol fût sans doute resté ignoré du public si, au mois d'août suivant, le rapt sensationnel de la Joconde, auquel Piéret ne se trouvait en rien mêlé, n'eût donné à ce jeune homme plein d'initiative l'idée de monnayer la révélation d'aventures que l'actualité rendait particulièrement piquantes. Après avoir reçu d'absolues promesses de discrétion, Piéret vint apporter à Étienne Chichet, directeur de *Paris-Journal*, la tête de femme qu'il avait subtilisée trois mois plut tôt. Sans nommer son « informateur », le journal s'empressa de monter l'affaire en épingle, avant de restituer au musée la pièce que le ravisseur lui avait confiée contre quelque argent. Par malheur, le hourvari que souleva cette histoire amena des bavardages. Si Piéret, qui entre temps avait déguerpi, n'eut pas à s'expliquer avec la Justice, il n'en alla pas de même pour le pauvre Apollinaire dont le seul crime avait été de n'être pas un délateur. Reconnue assez vite, son innocence ne put néanmoins lui épargner les six jours de prison préventive dont six petites pièces d'*Alcools* perpétuent le souvenir :

82

M. APOLLINAIRE SORTANT DU CABINET DU JUGE

APOLLINAIRE, par Douhin

que fait allusion Mme Jeanne Hum-
bert dans son très vivant et coura-
geux livre de souvenirs : *Sous la
Cagoule.*

Grâce, en particulier, au dernier
chapitre de cet ouvrage les curieux
de la petite histoire auront sur l'un
des aspects de ce cénacle amical et
sur ses réunions du dimanche dans
un pittoresque café situé rue de la
Chine des renseignements qui com-
plètent (et avec des illustrations
très exactes de Douhin) certain ar-

> *Avant d'entrer dans ma cellule*
> *Il a fallu me mettre nu*
> *Et quelle voix sinistre ulule*
> *Guillaume qu'es-tu devenu*
>
> *Le Lazare entrant dans la tombe*
> *Au lieu d'en sortir comme il fit*
> *Adieu adieu chantante ronde*
> *O mes années ô jeunes filles.*

Ces vers d'allure verlainienne, sans rien en eux « qui
pèse ou qui pose » quoique le rythme n'en soit pas impair,
ne sont certes pas les plus éclatants qu'Apollinaire ait
composés, mais dans leur modestie spontanée ils suggèrent
une image du poète non moins attachante que celle que
peuvent faire miroiter ses pages les plus audacieuses. Ils
trahissent le sentiment qu'Apollinaire avait de la pré-
carité de son sort et qu'il a d'ailleurs laissé paraître
bien avant 1911 et son séjour à la Santé, puisqu'on le
découvre déjà dans ses premiers poèmes, dans celui de
la Porte par exemple, recueilli plus tard dans *Alcools* :

> *La porte de l'hôtel sourit terriblement*
> *Qu'est-ce que cela peut me faire ô ma maman*
> *D'être cet employé pour qui seul rien n'existe*
> . . . .
> *Humble comme je suis qui ne suis rien qui vaille*
> *Enfant je t'ai donné ce que j'avais travaille.*

Nous savons par M. Adéma que *la Porte* date des dix-neuf ans d'Apollinaire. La vie difficile que le poète connut dès lors, son échec auprès d'Annie, puis plus tard son arrestation et ses nouveaux déboires amoureux ne pouvaient qu'accentuer sa propension à l'inquiétude. Les commentaires malveillants que lui valut dans quelques journaux sa participation involontaire à l'affaire des statuettes phéniciennes ne furent pas pour dissiper son anxiété. On souligna qu'il n'était pas français et qu'il avait apporté ses soins à des rééditions d'ouvrages ordinairement relégués dans l'enfer des bibliothèques. Aussi en vint-il à redouter de se voir expulsé de France et éloigné de toutes ses amours, qu'elles s'appelassent Poésie, Art ou Marie Laurencin. De fait, son expulsion fut envisagée un moment par la Préfecture de Police où le service des étrangers avait constitué, durant l'instruction de l'affaire Piéret, un dossier qui le diffamait largement. Heureusement, les protestations que souleva sa mise en cause dans cette affaire, la défense chaleureuse dont il fut l'objet de la part de ses amis et d'un certain nombre aussi de journalistes contrarièrent l'odieuse mesure que les pouvoirs publics s'apprêtaient à prendre à l'égard du poète. Le dossier policier qui devait empêcher quelques années plus tard la nomination du lieutenant de Kostrowitzsky au grade de chevalier de la Légion d'honneur, fut du moins impuissant à chasser Apollinaire d'un pays dont sa poésie suffit à prouver qu'il était le sien. On veut croire que ce dossier n'existe plus et que M. de Monzie disait vrai lorsque vers 1930 il nous assurait en avoir obtenu du préfet Chiappe la recherche et la destruction.

TRISTOUSE BALLERINETTE

« Après 1911, ce fut ma mère qui ne voulut pas de
Guillaume... » La rupture de Marie Laurencin et
d'Apollinaire se produisit en 1912 ; on les revit encore ensemble quelquefois en 1913, mais en compagnie d'amis
communs. Le 21 juin 1914 au soir, Marie Laurencin,
mariée dans la journée à un jeune peintre allemand, par-
tait pour un voyage que la guerre allait bientôt prolonger
jusqu'en Espagne et d'où elle ne devait revenir qu'après
la mort d'Apollinaire.

On a dit et imprimé que la nouvelle qui donne son
titre au recueil du *Poète assassiné* constituait à sa manière
une traduction des amours de Marie et du poète, comme
la Chanson du Mal Aimé transpose en vers lyriques la
passion du poète pour Annie. Cette comparaison ne nous
semble que très partiellement justifiée. Tels qu'ils se présentent, les dix-huit chapitres du *Poète assassiné* ne peuvent être considérés comme le récit, même symbolique,
d'une aventure personnelle. Apollinaire en avait d'ailleurs
composé quelques-uns en un temps où il ne prévoyait
pas encore la fin de sa liaison avec Marie Laurencin.
Il les destinait alors — raconte M. Jean Mollet — à
« un grand roman sur la fin du monde », dans lequel le
prophète Élie revenu sur terre était lapidé par la foule.
Apollinaire, ajoute M. Mollet, avait fait du prophète
le chasseur d'un grand hôtel de Marseille, et il le montrait
abattu sur le perron de cet hôtel par une populace que ses
harangues n'avaient su apaiser [1]. Par la suite, renonçant

---

1. Cf. *Propos sur un manuscrit*, par Jean Mollet, dans le cahier spécial
de *Rimes et raisons* consacré à Guillaume Apollinaire (Albi, Éditions de
la Tête noire, 1946).

à son projet de roman, Apollinaire reprit ses pages sur la lapidation d'Élie, aux lieu et place duquel il fit périr le poète Croniamantal, victime à la fois de la malignité féminine, du sadisme collectif et de la malédiction qui, à en croire Baudelaire, accable le futur porteur de lyre dès son apparition « dans ce monde ennuyé ».

Il serait périlleux de soutenir qu'en procédant à cette substitution de personnages, Apollinaire ait voulu se mettre en scène et s'accorder la palme du martyre. S'il est probable que ses déboires sentimentaux n'ont pas été étrangers à la rédaction définitive (qui date de 1914) du *Poète assassiné*, il est cependant certain que Croniamantal doit beaucoup moins à la biographie de son créateur qu'à la fable. Quelque soin qu'ait pu prendre Apollinaire du mystère de ses origines, on ne saurait remplacer le nom de Croniamantal par le sien dans ces premières lignes du *Poète assassiné* :

La gloire de Croniamantal est aujourd'hui universelle. Cent vingt-trois villes dans sept pays sur quatre continents se disputent l'honneur d'avoir vu naître ce héros insigne [...]
Tous ces peuples ont plus ou moins modifié le nom sonore de Croniamantal. Les Arabes, les Turcs et autres peuples qui lisent de droite à gauche n'ont pas manqué de le prononcer Latnamaïnorc, mais les Turcs l'appellent bizarrement Pata, ce qui signifie oie ou organe viril, à volonté.

Tant par sa naissance que par sa mort, le Poète assassiné participe essentiellement de la légende : par sa naissance il tient d'Homère, que plusieurs cités revendiquaient ; par sa mort il rappelle Orphée succombant sous les coups des Ménades. Mais pour n'être pas Apollinaire lui-même, il reste que ce Croniamantal, bafoué par sa maîtresse et honni par la foule, ne fût pas venu tenir le rôle de martyr dévolu à un prophète juif dans le texte initial du conteur, si, en moins d'un an, celui-ci n'avait été jeté en prison et malheureux en amour. *Le Poète assassiné* ne raconte pas l'infortune d'Apollinaire, mais il respire l'atmosphère que cette infortune a créée. C'est, si l'on veut, un témoignage indirect, mais ce n'est pas un livre à clef, et l'on ferait erreur en imposant des noms maintenant célèbres à des personnages aussi sommairement définis que ceux que met en scène l'histoire de Croniamantal. Le fait qu'Apollinaire ait emprunté tel ou tel trait à certains de

ses familiers n'autorise pas d'identifications précises :
quel romancier ou quel conteur pourrait s'interdire de
tirer parti de ses rapports sociaux et de son expérience
quotidienne ? Dans *le Poète assassiné*, Apollinaire n'a pas
fait davantage ; on peut même dire qu'il ne s'y est que
modérément référé à la réalité, car la part de l'imagination
s'y trouve, et de loin, prépondérante. Nul d'ailleurs se fût-
il jamais avisé que le peintre à qui Croniamantal rend
visite dans le chapitre X du *Poète assassiné* pouvait devoir
quelque chose à Picasso, si la notoriété que Picasso connaît
depuis trente ans n'avait fait de lui un sujet permanent
de commentaires et d'enquêtes ?

Mais quelque futiles que soient à nos yeux les ressem-
blances que l'on a découvertes entre le Picasso d'avant
1914 et le peintre que *le Poète assassiné* appelle singulièrement l'Oiseau du Bénin, il nous faut au moins les men-
tionner ici. Comme son confrère malaguène, l'Oiseau
du Bénin habite un atelier de Montmartre ; Croniamantal
l'y trouve « vêtu de toile bleue », comme l'était souvent
Picasso, au temps qu'il avait ses pénates dans le « bateau-
lavoir » de la place Émile Goudeau ; et de même que
Picasso avait aiguisé jadis l'intérêt d'Apollinaire en
lui signalant une jeune artiste nommée Laurencin, l'Oiseau du Bénin révèle à Croniamantal qu'il sait déjà, pour
l'avoir rencontrée, quelle est la femme dont le poète va
s'éprendre :

— *J'ai vu ta femme hier soir.*

— *Qui est-ce ? demanda Croniamantal.*

— *Je ne sais pas, je l'ai vue, mais je ne la connais pas,
c'est une vraie jeune fille, comme tu les aimes. Elle a le visage
sombre et enfantin de celles qui sont destinées à faire souffrir.*

. . . .

*Tu la trouveras au bois de Meudon jeudi prochain à l'en-
droit que je te dirai. Tu la reconnaîtras à la corde à jouer
qu'elle tiendra à la main, elle se nomme Tristouse Ballerinette.*

Quoique Tristouse ne se mêle aucunement de peinture,
on a voulu voir en elle une réplique de Marie Laurencin.
A-t-on eu raison ? nous ne le pensons pas. Pourtant il
n'est pas douteux qu'en esquissant la silhouette de la
gracieuse « donzelle » qui doit charmer et désespérer
Croniamantal, Apollinaire s'est souvenu de Marie. Lorsque

*L'hercule
Apollinaire.*

APOLLINAIRE
DANS TOUS SES ÉTATS...
... VUS PAR PICASSO.

Apollinaire académicien.

Sa Sainteté Apollinaire.

dans le bois de Meudon apparaît la séduisante personne annoncée par l'Oiseau du Bénin, celle-ci se présente, comme Marie, sous l'aspect d'une jeune fille « svelte et brune » :

Son visage était sombre et s'étoilait d'yeux remueurs comme des oiseaux au plumage brillant. Les cheveux épars, mais courts, lui laissaient le cou nu, ils étaient touffus et noirs comme une forêt nocturne et à la corde à jouer qu'elle tenait, Croniamantal reconnut Tristouse Ballerinette.

TRISTOUSE
BALLERINETTE
par Marie Laurencin.

Mais rien ne permet d'avancer que pour cette Tristouse, Apollinaire ait pris à Marie Laurencin autre chose que son allure espiègle et déliée. Rien ne permet de confondre Marie avec la jeune femme versatile et cruelle qui, à la fin du *Poète assassiné*, participe « en trépignant de joie » au lynchage de Croniamantal. De l'une à l'autre, toute la ressemblance est dans la légèreté de leur ligne. Pour saisir exactement cette ressemblance, il suffit de rapprocher de l'apparition de Tristouse la description qu'Apollinaire faisait de Marie Laurencin à Mme Faure-Favier alors que celle-ci n'avait encore jamais aperçu la jeune artiste : « C'est une enfant de Paris, elle en a la gaminerie charmante. Figurez-vous qu'elle venait me voir rue Gros, en sautant à la corde tout le long du jardin. Et elle en repartait, sautant toujours sur les marches de l'escalier — j'habitais au deuxième étage — une véritable acrobatie ! Quand elle atteignait la grille de la rue, elle faisait faire trois tours accélérés à sa corde, ce que les petites filles appellent « du vinaigre » et ce qui voulait dire : Au revoir ! A bientôt ! A demain ! [1] »

C'est de Marie, bien sûr, que Tristouse aura reçu sa corde à sauter, et peut-être est-ce également de Marie, qui aimait à fredonner des airs populaires [2], qu'elle aura appris les couplets ironiques que Croniamantal l'entendit chanter dans une clairière de Meudon :

— *Bonjour Germaine*
Je viens aimer entre tes bras
— *Ah ! Sire notre vache est pleine*

— *Vraiment Germaine*
— *Votre servante aussi je crois.*

Mais comment pourrait-on substituer l'ombre de Marie à l'image de Tristouse déchaînée, se précipitant avec d'autres Bacchantes sur le poète qu'elle va éborgner de la pointe de son parapluie ? Comment pourrait-on concilier cette image horrifique avec la tendresse qui se dégage des petits poèmes qu'en 1915 Apollinaire soldat écrivait encore pour Marie, alors « exilée » en Espagne, et que l'on peut lire dans *Calligrammes* :

Va-t'en va-t'en mon arc-en-ciel
Allez-vous en couleurs charmantes
Cet exil t'est essentiel
Infante aux écharpes changeantes

---

1. Louise Faure-Favier, *Souvenirs sur Guillaume Apollinaire*, p. 51.
2. Cf. Fernand Fleuret, *La Boîte à perruque*, Les Écrivains associés, 1935.

APOLLINAIRE

Et l'arc-en-ciel est exilé
Puisqu'on exile qui l'irise...

Non, *le Poète assassiné* n'est pas le roman de Guillaume
et de Marie comme *la Chanson du Mal Aimé* avait été le
poème d'Annie et de Guillaume. Mais c'est néanmoins
un chapitre de la vie d'Apollinaire, puisque c'est l'histoire
qu'Apollinaire se racontait à lui-même en 1913 et dans les
premiers mois de 1914. En le contraignant à se replier sur
soi, l'abandon qui le désolait alors lui remettait d'ailleurs
en mémoire les divers épisodes de son existence difficile.
C'est pourquoi l'on retrouve dans *le Poète assassiné* tous
les lieux où Apollinaire a vécu avant 1914, les personnages
pittoresques, patibulaires ou précieux qu'il y a observés,
les propos piquants ou saugrenus qu'il a eu l'occasion d'y
entendre. Le wallon qu'il a mis dans la bouche de
Viersélin Tigoboth, « musicien ambulant qui arrivait à
pied de Liège » allant vers Spa, est le dialecte qu'il avait
entendu à Stavelot, aux confins de la Belgique et de la
Prusse, durant les trois ou quatre mois qu'il y avait passés
en 1899. L'élixir de Spa et la tarte aux myrtilles qu'il fait
déguster à des commères wallonnes appartiennent à la
gourmandise locale, comme les harengs grillés, les bret-
zels et la Salvator qu'il entonne à des Munichois ressortissent à la Bavière, qu'il avait parcourue en 1902. De
Rome à Monaco, de la Riviera à la Rhénanie, de Marseille
à Montmartre, tous les itinéraires d'Apollinaire s'ins-
crivent dans les dix-huit chapitres du *Poète assassiné*. Il
n'y manque que les tout derniers : ceux que la guerre
allait bientôt lui faire parcourir, en même temps qu'elle
allait l'exposer à de nouvelles amours et à de nouveaux
dangers.

PRINTEMPS 1914. *Devant adresser un court billet à son ami Serge Férat, Apollinaire l'a rédigé sur une photo où l'on peut le reconnaître en compagnie de Francis Picabia et de Mme Picabia.*

RESTAURANT WATRIN

CAFÉ DES SPORTS

8.9bis Avenue de la Grande Armée
(Entrée du Bois de Boulogne)

PARIS

TÉLÉPHONE
Passy 59.80

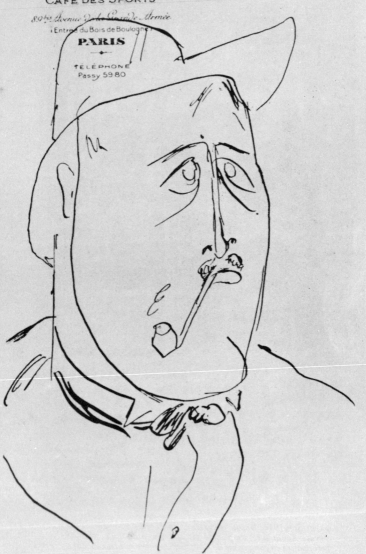

UNE AMIE ROYALE

A la fin de juillet 1914, Apollinaire et son ami le dessinateur André Rouveyre se trouvaient depuis peu à Deauville, où le journal *Comœdia* les avait envoyés tous deux pour qu'ils y fissent de concert un reportage sur la saison d'été : à Apollinaire incombait la rédaction d'une série d'articles, à Rouveyre l'illustration de ces papiers. Mais la guerre, avec qui ni *Comœdia* ni ses envoyés spéciaux n'avaient compté, allait en un instant mettre fin à ces paisibles travaux.

C'est de son bref séjour sur la côte normande qu'Apollinaire s'est souvenu en écrivant, au début d'un de ses poèmes de guerre :

> *C'était un temps béni nous étions sur les plages*
> *Va-t'en de bon matin pieds nus et sans chapeau*
> *Et vite comme va la langue d'un crapaud*
> *L'amour blessait au cœur les fous comme les sages* [1].

C'est à Deauville, en effet, qu'Apollinaire s'était amusé à observer de près les mœurs du crapaud. Dans une des chroniques anecdotiques qu'en 1915 il envoyait du front au *Mercure de France*, il parle longuement des trois petits crapauds, nommés Do, Di et Dé, que Rouveyre avait emmenés avec lui à la mer :

> *Chaque jour, vers deux heures de l'après-midi, Rouveyre nourrissait ses crapauds. Il les plaçait dans des viviers sans trous et y lâchait sept ou huit mouches vivantes. Do, dont la taille était plus du triple de celle de ses petits camarades et*

---

1. *Calligrammes*, Les Saisons.

APOLLINAIRE
par Vlaminck.

atteignait celle d'une petite bouteille d'encre à deux sous, mangeait pour sa part cinq ou six de ces mouches. Il attendait que l'une d'elles se fût posée, la fixait et faisait partir sa langue à une distance d'un tiers de sa propre taille, happait la mouche et l'avalait incontinent.

Ce voyage de la langue d'un crapaud est plus rapide qu'un clin d'œil. Je l'ai observé maintes fois et il m'a été impossible de rien voir de cette langue chasseresse. Je n'ai vu que la mouche disparaître dans la gueule du protégé de Rouveyre.

. . . .

Pour se procurer ces mouches, Rouveyre entretenait à grands frais un braconnier qui était chargé d'en fournir vingt tous les deux jours. Ces mouches lui étaient payées à raison de deux pour un sou. Il était tout d'abord muni d'une petite cage à mouches métallique, jouet d'enfant qui, en l'occurrence, devenait un utile engin de vénerie.

Tous les deux jours, il apportait la cage à mouches à Rouveyre, qui faisait passer ces perdrix-à-crapauds dans un ancien bocal à kola, en verre, dont le couvercle en métal avait été percé de petits trous. Les mouches y volaient librement jusqu'à ce qu'eût sonné pour elles l'heure d'être mangées à la crapaudine.

Le 29 juillet il arriva un malheur, la cage à mouches fut démantibulée et il fut impossible d'en trouver une autre à Deauville. [...] Et les crapauds auraient risqué de jeûner si Rouveyre n'avait ingénieusement remédié à la situation en confectionnant une cage à mouches, bien plus juteuse que la précédente [1].

Peut-être s'étonnera-t-on que nous nous soyons peu attardé devant ces trois petits crapauds en villégiature à Deauville. Nous avions à cela deux raisons. La première est qu'ils nous ont paru révélateurs de l'aisance avec laquelle la poésie apollinarienne, s'emparant des sujets les plus disgraciés, pouvait les élever jusqu'à la mélodie la plus délicate :

>   Zénith
>   Tous ces regrets
>   Ces jardins sans limite
>   Où le crapaud module un tendre cri d'azur [2].

---

1. Cf. *Mercure de France*, 1er janvier 1916.
2. *Calligrammes*, Vers le Sud.

Quant à notre seconde raison, c'est que les vers ou les chroniques dans lesquels Apollinaire a nommé les crapauds datent tous du temps de guerre et semblent indiquer que, dans son esprit, ces petits gobe-mouches à la langue furtive se sont trouvés étroitement associés au souvenir de ses derniers jours tranquilles, et, partant, à l'image même de la paix.

Sans aller jusqu'à soutenir qu'au moment de quitter Deauville, Apollinaire ait eu la prescience des événements qui allaient suivre, on ne peut lui marchander le mérite d'avoir reconnu que la guerre qui s'engageait provoquerait une mutation universelle. A cet égard, il a exprimé son sentiment de la façon la plus nette dans son poème de *la Petite Auto*, — celle où Rouveyre lui avait fait prendre place pour rentrer à Paris durant la dernière nuit de juillet 1914 :

> *Nous dîmes adieu à toute une époque*
> . . . .
>
> *Je sentais en moi des êtres neufs pleins de dextérité*
> *Bâtir et aussi agencer un univers nouveau*
> . . . .
>
> *Nous arrivâmes à Paris*
> *Au moment où l'on affichait la mobilisation*
> *Nous comprîmes mon camarade et moi*
> *Que la petite auto nous avait conduits dans une époque*
> [*nouvelle*
> *Et bien qu'étant déjà tous deux des hommes mûrs*
> *Nous venions cependant de naître* [1].

En ce qui concerne Apollinaire, cette seconde naissance devait le rapprocher singulièrement de la mort ; mais en août 1914 les événements ne lui laissaient pas le loisir de s'interroger sur son avenir. Pour lui comme pour beaucoup d'autres, les soucis du lendemain se trouvaient occultés par ceux du jour et aussi par la curiosité que suscitait, dans tous les domaines, la perte ou la destruction des habitudes. Depuis plusieurs années, Apollinaire tirait toutes ses ressources du journalisme et de travaux de bibliothèque destinés à ses amis Georges et Robert Briffaut pour leurs éditions des « Maîtres de l'Amour ».

---

1. *Calligrammes*, La Petite Auto.

En quelques heures la guerre lui avait coupé les vivres. Le *Mercure de France* ne paraissait plus, les frères Briffaut étaient partis sous les drapeaux, et la plupart des journaux auxquels il collaborait avaient suspendu leur publication. Quant aux quelques quotidiens assez solidement établis pour résister à la tourmente, le peu de copie que réclamaient leurs deux ou quatre pages étaient sans rapport avec les contes ou la critique d'art qu'Apollinaire avait jusqu'alors donnés à la presse. Il ne fallait désormais à celle-ci que de la prose tricolore, et il se trouvait assez d'académiciens ou d'officiers supérieurs en retraite prêts à la lui fournir. Au surplus, étranger par sa naissance, — Russe en principe, Polonais par sa mère, Italien par son père, heimatlos en fait, — Apollinaire ne se sentait guère le cœur de solliciter une rubrique ou un emploi rendu vacant par la mobilisation d'un ami ou d'un confrère. Une occasion lui fut offerte de quitter Paris pour Nice. Chômer pour chômer, mieux valait pour lui que ce fût au soleil et dans un décor de sa jeunesse que dans la capitale où, l'avance allemande aidant, tout étranger devenait vite un métèque et tout métèque un suspect.

Dès le début de septembre 1914, Apollinaire arrivait à Nice. Il n'y resta que trois mois. Le 4 décembre, il s'engageait pour la durée de la guerre ; deux jours plus tard il était à Nîmes, sous l'uniforme d'artilleur.

Il n'est pas inutile de noter que cet engagement intervenait au début du cinquième mois de guerre, c'est-à-dire à un moment où la fixation des forces en présence dans un solide réseau de tranchées ne permettait plus de croire à une fin rapide des hostilités. Apparemment, trois mobiles avaient déterminé la décision d'Apollinaire : l'un d'ordre pratique, l'autre d'ordre moral, et le dernier, — mais le plus pressant peut-être, — d'ordre sentimental. En s'engageant, Apollinaire résolvait en effet le problème de sa subsistance en même temps qu'il se délivrait de la gêne ressentie à n'être pas soldat dans un pays où, hormis quelques « affectés spéciaux », tous les hommes valides de son âge étaient déjà sous les armes. Enfin, en renonçant dès l'entrée de l'hiver à la douceur de Nice, il entendait aussi se guérir, par l'absence, d'un nouvel amour qui ne semblait pas devoir le combler.

Depuis son retour sur la Riviera, il avait lié connaissance, dans l'entourage du peintre Robert Mortier, avec la jeune

Apollinaire à Nîmes, en uniforme d'artilleur (janvier 1915).
C'est de cette photo qu'il parle à son ami Rouveyre dans une
lettre en vers datée du 14 janvier :
... cette photographie
où j'ai pris l'air de Mars quand il attend Vénus.

femme qui figure sous le nom de Lou dans plusieurs pièces de *Calligrammes* et sous ses initiales, L. de C.-C., dans la dédicace d'un poème du même recueil [1]. On sait maintenant que ces initiales sont celles de Mme Louise de Coligny-Châtillon, héritière d'un nom fameux, et même d'un nom et d'un prénom honorés déjà par l'admirable Louise de Coligny, que le protestantisme révère et à qui l'Église ôta tour à tour par le meurtre son père l'amiral de Coligny, son premier époux Charles de Téligny, et son second époux Guillaume d'Orange.

A notre connaissance, André Rouveyre est, parmi les amis d'Apollinaire, le seul qui ait parlé de Lou, qu'il avait connue d'ailleurs plusieurs années avant que le poète ne la rencontrât. « Toute jeune alors », elle avait paru à Rouveyre « spirituelle, dégagée, frivole, impétueuse, puérile, sensible, insaisissable, énervée, un peu éperdue en quelque sorte [2] ». Ce que l'on peut deviner d'elle à travers la correspondance d'Apollinaire s'accorde assez bien avec les propos de Rouveyre. Mais sous la plume du poète, l'impétuosité signalée par Rouveyre s'ennoblit et fait de Lou une « héroïne de la Fronde » [3].

Visiblement, la généalogie de la jeune femme ne laissait pas d'éblouir un peu Apollinaire. « *Auprès d'une Louise comme vous*, lui écrivait-il, *je n'eusse voulu être rien autre que le Taciturne* [4]. » La cour qu'il lui fit durant ses dernières semaines de vie civile se ressent de l'écart que la naissance lui paraissait mettre entre elle et lui. Les lettres qu'il lui a adressées alors qu'elle se trouvait comme lui sur la Côte d'Azur et que leurs relations communes lui procuraient maintes occasions de la rencontrer, allient curieusement le respect et l'audace. On les dirait parfois d'un troubadour à une châtelaine :

Après une minute vertigineuse d'espoir je n'espère plus rien, sinon que vous permettiez à un poète qui vous aime plus que la vie de vous élire pour sa dame et se dire, ma voisine d'hier soir dont je baise les adorables mains, votre serviteur passionné [4].

---

1. *La Nuit d'avril* 1915, publié pour la première fois dans le numéro de mars 1916 de la revue *l'Élan.*
2. Cf. André Rouveyre, *Apollinaire*, Gallimard, 1945, p. 115.
3. Cf. *Tendre comme le souvenir*, p. 69.
4. Cf. Lettres à Louise de Coligny, *la Table Ronde*, sept. 1952.

Mais, quelques jours plus tard, autre son de lyre : c'était un poète érotique qui se faisait entendre :

Vous étiez ce matin toute charmante et de la façon la plus inattendue.

Dans votre robe à fleurs on eût dit un écureuil s'ébattant à travers une roseraie en Perse.

J'avais pensé à vous la nuit entière sans pouvoir dormir. Veille la plus brûlante et la plus cruelle. Car je n'ai cessé de vous voir mutine et langoureuse à la fois. Un moment j'ai fermé très fort les yeux pour tâcher de dormir et je voyais un jardin éblouissant de grenadiers dont les fruits étaient vos seins multipliés à l'infini et plus dignes que les pommes d'or gardées par les Hespérides d'être conquis par un héros.

Par jeu, semble-t-il, Lou encouragea son soupirant, puis, quand il se montra trop entreprenant, le repoussa. C'est après avoir reçu d'elle son congé qu'Apollinaire contracta l'engagement qui le conduisit aussitôt à la caserne du 38e régiment d'artillerie, à Nîmes, où Lou, se ravisant, ne tarda pas à venir le retrouver. Pendant quelques jours le poète se crut au comble du bonheur. Une vanité enfantine l'emplissait. N'avait-il pas fait la conquête d'une « *amie royale* », — l'adjectif est de lui, — d'une de ces femmes, — privilégiées, croyait-il, — « *dans les veines desquelles court le sang de Saint Louis*[1] » ? Mais, nées en décembre, ces nouvelles amours mouraient en janvier ; du moins Lou en était-elle déjà lasse. De retour à Nice, elle ne répondit plus que distraitement aux lettres d'Apollinaire et aux poèmes que l'on a publiés trente-deux ans plus tard dans le recueil intitulé *Ombre de mon amour*. Beaucoup de ces poèmes ne sont à vrai dire que des billets hâtivement rimés, et les meilleurs d'entre eux avaient déjà pris place dans *Calligrammes* après avoir subi d'heureuses corrections. Aussi est-ce à *Calligrammes* qu'il convient de se reporter si l'on veut savoir quelle place Apollinaire a effectivement consenti à Lou dans son œuvre. On y trouve le nom de Lou dans le titre même d'un poème : *C'est Lou qu'on la nommait*, qui date du printemps ou de l'été 1915, et qui est d'un amoureux parfaitement désabusé :

> *Il est des loups de toute sorte*
> *Je connais le plus inhumain*
> *Mon cœur que le diable l'emporte*

---

1. Cf. *Tendre comme le souvenir*, p. 69.

Et qu'il le dépose à sa porte
N'est plus qu'un jouet dans sa main

Les loups jadis étaient fidèles
. . . .
Mais aujourd'hui les temps sont pires
Les loups sont tigres devenus
. . . .
J'en ai pris mon parti Rouveyre

Ayant revu Lou à Marseille à la fin du mois de mars 1915, le pauvre Apollinaire, qui allait partir pour le front, avait été assez nettement rabroué pour n'avoir plus qu'à se résigner à la rupture qu'on lui signifiait. S'il continua malgré cela de penser à Lou durant plusieurs mois, ce fut désormais sans illusion, et surtout pour se repaître d'images voluptueuses, alors qu'il accomplissait sa tâche maussade de brigadier d'artillerie dans des secteurs bombardés d'où toute présence féminine était bannie. La plupart des poèmes qu'en 1915 Lou a inspirés à Apollinaire, s'ils ressortissent à la poésie érotique, ne sont nés cependant ni de l'amour ni même de la débauche, mais de la continence forcée. A la différence de ceux qui avaient chanté Annie puis Marie, ils n'expriment aucune passion profonde, mais trahissent simplement un besoin physique, et c'est ce qui explique qu'en dépit de leur charme ils soient à la fois plus brûlants et plus faibles que les poèmes d'amour d'autrefois réunis dans *Alcools*. Les pièces de *Calligrammes* que Lou peut revendiquer ne s'élèvent guère au-dessus des souvenirs d'alcôve. Que ce soit dans *Vers le Sud* :

> *Un rossignol meurtri par l'amour chante sur*
> *Le rosier de ton corps dont j'ai cueilli les roses*

ou dans *Fête* :

> *Deux fusants rose éclatement*
> *Comme deux seins que l'on dégrafe*
> *Tendent leurs bouts insolemment*
> Il sut aimer *Quelle épitaphe*

une seule obsession se manifeste, dont un jupon douteux eût peut-être suffi à libérer le poète. A sa manière, et sans l'avoir prémédité, Apollinaire se sera montré plus cruel avec Lou qu'elle ne l'avait été avec lui.

...É DE PARIS
ÉTABLISSEMENT DE 1er ORDRE

- TARASCON -
(B.-DU-RH.)

...ON DE MM. LES OFFICIERS

L. PÉRISSÉ
PROPRIÉTAIRE

... DE LA SOCIÉTÉ HIPPIQUE

... 20

Tarascon, le 2 Janvier 1915

A Mon cher André Rouveyre

A Deauville André nous ômines,
De nous tutoyer tous les deux
Maintenant que je suis à Nîmes,
enfin tu me dis tu. C'est mieux.

Où je conduis les cavales
Qui traînent le canon têtes
La nuit descent, les cieux sont pâles
Mais l'ombre ne peut m'affliger

Puisqu'en effet, mon cher Rouveyre,
Le conducteur et le servant
Ne font jaillir cette lumière
Qui s'éteint tout comme un grand vent

Guillaume Apollinaire

MADELEINE

Présente elle aussi dans *Calligrammes*, Madeleine y a été mieux servie que Lou. Mais si sa part est plus belle, elle aura également été plus amère. Son roman de jeune fille courtisée puis délaissée tient à peu près tout entier dans la correspondance qu'Apollinaire eut avec elle entre avril 1915 et avril 1916, c'est-à-dire entre l'arrivée du poète sur le front et la dangereuse blessure qu'un éclat d'obus lui fit à la tempe après avoir percé son casque.

C'est le 1er janvier 1915 que le hasard avait fait connaître à Apollinaire artilleur Mlle Madeleine Pagès. Rentrant d'une brève permission, Apollinaire avait voyagé de Nice à Marseille dans le même train que cette jeune fille de vingt-et-un ans qui, venue en vacances à Nice, allait retrouver sa famille à Oran. Mlle Pagès a raconté cette rencontre dans la discrète préface qu'elle a donnée au recueil où sont rassemblées les lettres que lui écrivit Apollinaire [1]. Les propos de son voisin de compartiment l'avaient intéressée. Il lui avait fait avouer assez vite qu'elle aimait la poésie, et, de son côté, il n'avait pas tardé à confesser qu'il était poète. Avant qu'elle ne descendît du train à Marseille, il avait obtenu d'elle qu'elle lui donnât son adresse, et avait promis de lui offrir son livre de vers, *Alcools*.

Trois mois plus tard, Mlle Pagès recevait du front une

---

1. *Tendre comme le souvenir*, Gallimard, 1952.

MADEMOISELLE MADELEINE PAGÈS.

carte postale où le brigadier de Kostrowitzky rappelait le voyage du 1er janvier et s'excusait de n'avoir pu encore se procurer un exemplaire de son livre. Madeleine répondit. Apollinaire vit arriver des colis d'Algérie, et Madeleine des poèmes. Des photographies furent bientôt échangées. A partir de juillet, Apollinaire s'enhardit ; ses lettres se firent plus tendres puis plus chaudes. Le 10 août il formulait une demande en mariage dans les règles. Il fut agréé. On convint que le mariage serait célébré dès que les circonstances s'y prêteraient. En janvier 1916, c'est à Oran, auprès de sa fiancée, qu'Apollinaire, devenu sous-lieutenant d'infanterie, va passer sa première permission de détente. Dès son retour au front, sa correspondance quotidienne avec Madeleine reprend, pour s'interrompre seulement après sa blessure, en raison de l'indifférence soudaine du poète, et même de son visible recul.

A ses lettres à Madeleine, Apollinaire avait joint, au fur et à mesure qu'il les composait, près de cinquante poèmes dont il a retenu un grand nombre pour son recueil de *Calligrammes*. Dès leurs fiançailles, il avait pris la jeune fille pour confidente du travail poétique qu'il a poursuivi jusque dans la tranchée, et, en dépit de la distance qui les séparait, il avait trouvé en elle une secrétaire bénévole, attentive à tout ce qui venait de sa plume.

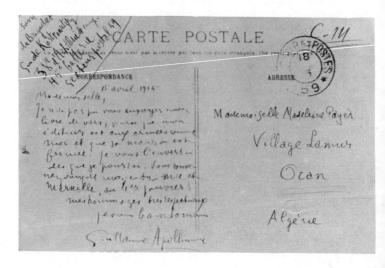

JANVIER 1916. — Apollinaire en permission à Oran,
auprès de sa fiancée, Madeleine Pagès.

Compte non tenu de six vers glissés dans le corps d'une
lettre pour accompagner un brin de lilas, le premier texte
que Madeleine ait reçu d'Apollinaire est la courte pièce
de *Calligrammes* dédiée « à Mademoiselle P... » sous le
titre de *Reconnaissance*. Aucun caractère personnel ne
s'en dégage, et l'on conçoit que l'auteur n'ait pas eu besoin
de deux versions de cette bluette pour l'envoyer le même
jour à Madeleine, qu'il ne courtisait pas encore, et à Lou,
dont les charmes n'étaient pas oubliés, mais dont il
n'attendait plus rien. Apollinaire n'a d'ailleurs cessé

d'adresser des vers à Lou que quelques semaines après
s'être fiancé. En septembre 1915 il lui faisait encore parvenir trois petits poèmes [1], en même temps qu'il en trans-
mettait une autre copie à Madeleine, à laquelle il ne dissi-
mulait pas que ces vers avaient été en vérité écrits pour
Marie Laurencin.

On risquerait de se montrer injuste en soupçonnant
quelque duplicité dans cette distribution des mêmes
poèmes à des inspiratrices diverses. S'il est probable qu'en
procédant ainsi Apollinaire sacrifiait tant soit peu au
désir de plaire, il semble que le souci plus ou moins cons-
cient de ne pas disparaître corps et âme dans la guerre
l'animait aussi. Il ne faut pas perdre de vue que les trois
quarts des pièces de *Calligrammes* ont été composées
sur la ligne de feu, dans des secteurs où la mort rôdait.
La stratégie amoureuse et littéraire d'Apollinaire se sera
certainement ressentie de cet état de fait.

Il est à coup sûr plus piquant de surprendre Apollinaire
recourant à quelques mois d'intervalle aux mêmes artifices de style pour chanter Lou puis Madeleine. Ouvrez
Ombre de mon amour : vous y trouverez, à la page 61, sous
le titre *Il y a*, un poème griffonné pour Lou le 5 avril 1915
dans le convoi qui emportait Apollinaire vers le front :

Il y a des petits ponts épatants
Il y a mon cœur qui bat pour toi
Il y a une femme triste sur la route
Il y a un beau petit cottage dans un jardin
Il y a six soldats qui s'amusent comme des fous
Il y a mes yeux qui cherchent ton image
Il y a un petit bois charmant sur la colline et un vieux terri-
                    [torial pisse quand nous passons
Il y a un poète qui rêve au p'tit Lou

Reportez-vous ensuite à *Calligrammes* ou à *Tendre
comme le souvenir* : vous pourrez lire, dans *Calligrammes*
derechef sous le titre *Il y a*, dans *Tendre comme le souvenir*
à la date du 30 septembre 1915, un autre poème, écrit
cette fois pour Madeleine, et tout entier construit sur la
même anaphore que le précédent :

---

1. *Les Feux du bivouac*, *L'Adieu du cavalier* et *Tourbillon de mouches* ;
ils sont tous trois dans *Calligrammes*.

Il y a un vaisseau qui a emporté ma bien-aimée
Il y a dans le ciel six saucisses pareilles à des asticots dont il
　　　　　　　　　　　　　　　　　　　　[naît les étoiles
Il y a un sous-marin ennemi qui en voulait à mon amour
Il y a mille petits sapins brisés par les éclats d'obus autour
　　　　　　　　　　　　　　　　　　　　　　　　[de moi
Il y a un fantassin qui passe aveuglé par les gaz asphyxiants
Il y a que nous avons tout haché dans les boyaux de Nietzsche
　　　　　　　　　　　　　　　[de Gœthe et de Cologne
Il y a que je languis après une lettre de Madeleine

D'un texte à l'autre l'analogie est évidente ; toutefois elle ne tient qu'à l'emploi d'un procédé. Aussi est-elle moins indiscrète que la ressemblance qui rapproche des pièces d'un caractère aussi intime que celles où Apollinaire, ayant en mémoire le *Cantique des Cantiques*, évoque tour à tour les « neuf portes » du corps familier de Lou et les « neuf portes » du corps secret de Madeleine [1]. La continence forcée dont nous avons parlé explique l'éréthisme que dénoncent ces deux odes, dont celle qui s'adresse à la jeune fille n'est pas la moins éloquente :

> *O portes ouvrez-vous à ma voix*
> *Je suis le maître de la clef.*

Là non plus, la présence du danger n'aura pas été sans fouetter les ardeurs du poète. A qui le temps n'est pas disputé, la réserve et la patience sont faciles. Mais en 1915 la vie du combattant était chose trop précaire pour qu'on pût tenir rigueur à celui-ci de s'écarter des convenances. « Qui meurt a ses lois de tout dire », pensait Villon. Madeleine eut la générosité d'admettre ce principe.

A n'en pas douter, la liberté d'expression que sa fiancée lui accordait aura grandement servi Apollinaire. Sauf erreur, il ne s'est nulle part aussi largement confessé que dans ses lettres à Madeleine. Il n'y a pas tout dit, certes, et même il lui est arrivé parfois d'y farder un peu la vérité. Mais enfin, il ne semble pas qu'avant ses fiançailles de 1915, l'occasion lui eût jamais été offerte de se livrer avec un égal abandon.

Pour en revenir à la part de Madeleine dans les livres

---

1. Cf. *Ombre de mon amour*, pp. 103-106, et *Tendre comme le souvenir*, pp. 156-160.

d'Apollinaire, elle est toute dans *Calligrammes*, mais elle y tient une place propre à exciter des jalousies. Le *souvenir du voyage*, dans un compartiment de seconde, de la jeune fille et du soldat anime à lui seul tout un poème :

> *C'est quelque chose de si ténu de si lointain*
> *Que d'y penser on arrive à le trop matérialiser*
> *Forme limitée par la mer bleue*
> *Par la rumeur d'un train en marche*
> *Par l'odeur des eucalyptus des mimosas*
> *Et des pins maritimes*
> Mais le contact et la saveur
> *Et cette petite voyageuse alerte inclina brusquement la tête*
> [*sur le quai de la gare à Marseille*
> *Et s'en alla*
> *Sans savoir*
> *Que son souvenir planerait*
> *Sur un petit bois de la Champagne où un soldat s'efforce*
> *Devant le feu d'un bivouac d'évoquer cette apparition*

Ce sont là des vers de mai 1915, intitulés avec un peu de mystère *l'Inscription anglaise*, parce que l'auteur, ne sachant encore s'il peut avoir l'audace de déclarer : « Je vous aime », joue pour finir sur les mots *I love you* sans toutefois les prononcer :

> *... les nœuds de couleuvres en se dénouant*
> *Écrivent aussi le nom émouvant*
> *Dont chaque lettre se love en belle anglaise*
> *Et le soldat n'ose point achever*
> *Le jeu de mots bilingue que ne manque point de susciter*
> *Cette calligraphie sylvestre et vernale.*

Calligrammes ne compte pas moins de treize ou quatorze poèmes inspirés par Madeleine et tous écrits avant qu'Apollinaire en permission n'eût revu la jeune fille rencontrée au jour de l'An dans un train. C'est qu'il en allait du troglodyte des tranchées comme du prisonnier dans sa cellule, à qui quelques lignes d'écriture et une photo suffisent pour reconstituer un univers. Peut-être le poète a-t-il, sans s'en apercevoir, commencé à se détacher de Madeleine le jour où, la tenant dans ses bras à Oran, il n'a plus eu à en chercher l'image dans sa mémoire.

Durant l'automne de 1915 il lui fallait au contraire demander beaucoup au souvenir :

> *Pâle espionne de l'Amour*
> *Ma mémoire à peine fidèle*
> *N'eut pour observer cette belle*
> *Forteresse qu'une heure un jour* [1].

La moindre anecdote, le moindre détail nourrissait alors son imagination. Quand Madeleine, venue passer l'été en France, s'embarque en septembre à Port-Vendres pour regagner l'Algérie, il rime les vers de *la Traversée* :

> *Du joli bateau de Port-Vendres*
> *Tes yeux étaient les matelots*
> *Et comme les flots étaient tendres*
> *Dans les parages de Palos*
>
> *Que de sous-marins dans mon âme*
> *Naviguent et vont l'attendant*
> *Le superbe navire où clame*
> *Le chœur de ton regard ardent.*

Quand l'espoir lui est permis d'aller bientôt retrouver Madeleine à Oran, il écrit *Simultanéités* :

> *Et sous la cagoule masqué*
> *Il pense à des cheveux si sombres*
> *Mais qui donc l'attend sur le quai*
> *O vaste mer aux mauves ombres*
> . . . .
>
> *O phare-fleur mes souvenirs*
> *Les cheveux noirs de Madeleine*
> *Les atroces lueurs des tirs*
> *Ajoutent leur clarté soudaine*
> *A tes beaux yeux ô Madeleine.*

Dans la Champagne pouilleuse désolée par les bombardements, le nom de Madeleine fait surgir à ses yeux des estampes aux couleurs radieuses :

> *Pendant le blanc et nocturne novembre*
> *Tandis que chantaient épouvantablement les obus*

---

1. *Calligrammes*, L'Espionne.

APOLLINAIRE

Et que les fleurs mortes de la terre exhalaient leurs mortelles
[odeurs
Moi je décrivais tous les jours mon amour à Madeleine
La neige met de pâles fleurs sur les arbres
Et toisonne d'hermine les chevaux de frise
Que l'on voit partout
Abandonnés et sinistres chevaux muets
Non chevaux barbes mais barbelés
Et je les anime tout soudain
En troupeau de jolis chevaux pies
Qui vont vers toi comme de blanches vagues
Sur la Méditerranée
Et t'apportent mon amour
Roselys ô panthère ô colombe étoile bleue
O Madeleine
Je t'aime avec délices
Si je songe à tes yeux je songe aux sources fraîches
Si je pense à ta bouche les roses m'apparaissent
Si je songe à tes seins le Paraclet descend [1].

La blessure du 17 mars 1916 devait <u>tarir</u> cette veine lyrique en détruisant l'amour qui l'avait alimentée. Au mois de mai suivant, Apollinaire n'adressait plus qu'un billet de quelques lignes à Madeleine :

Je ne suis plus ce que j'étais à aucun point de vue et si je m'écoutais je me ferais prêtre ou religieux.

Eut-il vraiment cette idée ? On en peut douter. Mais il semble vrai qu'avec sa blessure il soit devenu un autre homme. Quand en 1918 il dressa la table des matières de *Calligrammes*, il le fit comme l'eût fait un éditeur posthume et comme si le nom de Madeleine n'eût jamais été que celui d'une ombre.

---

1. *Calligrammes*, Chevaux de frise.

Manuscrit d'un poème composé sur le front, le 10 avril 1915. On retrouve ce poème, avec de légères variantes, dans Ombre de mon amour, et, avec de plus importantes corrections, dans Calligrammes où il s'intitule La Nuit d'avril 1915.

La Nuit aux Armées

Le ciel est constellé par les obus des Boches
La forêt merveilleuse où je vis donne un bal
La mitrailleuse joue un air à doubles-croches
Mais Avez-vous le mot — Mais oui, le mot fatal
Aux Créneaux, aux Créneaux, laissez là les pioches

*

On sonne Garde À Vous Rentrez dans vos maisons —
Cœur, obus éclaté qui sifflait sa romance
Je ne suis jamais seul avec mes deux caissons
Tous les dieux de mes yeux s'envolent en silence
NOUS vous aimons, ô Vie, et nous vous agaçons

*

Les obus miaulaient un amour à mourir
Les amours qui s'en vont sont plus doux que les autres
Il pleut, Bergère, il pleut ~~[illegible]~~ et le sang va tarir
Les obus miaulaient Entends chanter les nôtres
Pourpre Amour salué par ceux qui vont périr

*

Le printemps tout mouillé la veilleuse l'Attaque
Il pleut, soldat ~~[illegible]~~ il pleut mais il pleut des yeux morts
Ulysse que de jours pour rentrer dans Ithaque
Mais orgues aux fétus de la paille où tu dors
~~[illegible]~~
L'hymne de l'avenir ~~[illegible]~~ est paradisiaque
~~[illegible]~~

Guillaume Apollinaire

brigadier d'artillerie de campagne

GUILLAUME DE
KOSTROWITZKY
ARTILLEUR
1914

APOLLINAIRE SOLDAT,
par Picasso.

APOLLINAIRE SOLDAT

Si la guerre n'a pas eu le pouvoir de distraire Apollinaire de ses amours ou plutôt de son incessante quête de l'amour, la réciproque est vraie, et l'amoureux qu'il a toujours été n'a nullement empêché le soldat qu'il était devenu d'exercer le métier des armes avec application depuis son premier jour de caserne. Simple « deuxième classe » en 1914, il était officier onze mois plus tard. Quelque rapide que fût en ce temps-là l'avancement des sous-officiers et des chefs de section ou de compagnie, encore fallait-il, pour obtenir galon sur galon, y mettre du sien. Apollinaire n'a pas marchandé sa peine pour franchir à toute allure les étapes de brigadier, de maréchal-de-logis, et conquérir enfin son brevet de sous-lieutenant. Le désir de briller aux yeux de Madeleine n'a probablement pas été étranger à cette dépense de zèle, non plus que le souci d'accroître son prêt : Apollinaire n'avait plus d'autres ressources, et il n'avait pas oublié les années durant lesquelles il lui avait fallu compter plus souvent en sous qu'en louis.

Quoique la modestie de sa bourse ne lui permît guère d'améliorer sa condition de soldat, il s'était adapté à la vie militaire aussi aisément qu'il s'était, dans sa jeunesse, accommodé du collège et de l'internat. La vie collective ne le rebutait pas ; non seulement il pouvait s'y sentir à l'aise et s'y divertir, mais encore il y renouvelait son inspiration. Fernand Fleuret, qui avait été longtemps de ses amis de chaque jour, a dit de lui que « pour mieux plaire, il s'identifiait à son interlocuteur », qu' « il en pénétrait très rapidement les goûts et les pensées, en prenait parfois les ma-

nières », et qu'il arrivait qu'on lui reconnût, entre le début
et la fin de la journée, « plusieurs intonations ou façons de
parler différentes, selon qu'il venait de s'entretenir avec
les uns ou les autres ». On peut présumer qu'Apollinaire
soldat ne s'est pas fait faute d'exploiter une telle aptitude
au mimétisme. Dans la chambrée, à la cantine, à la batterie
ou dans la tranchée, rien ne pouvait mieux le servir que
cette facilité qu'il avait à se trouver de plain-pied avec le
paysan et l'employé, le boutiquier et le chemineau, le
ch'ti Mi ou le Martegaù. Il était né sociable, — il l'a d'ailleurs relevé lui-même dans son *Bestiaire* :

> *Je souhaite dans ma maison*
> *Une femme ayant sa raison,*
> *Un chat passant parmi des livres,*
> *Des amis en toute saison,*
> *Sans lesquels je ne peux pas vivre,* [1]

— et, sa curiosité des mœurs aidant, ni la caserne ni le
bivouac ne pouvaient lui être de moindre intérêt que les
tavernes de Cologne, les coins misérables de Beausoleil
ou les bals-musette parisiens. A considérer l'espièglerie
avec laquelle il a glissé dans quelques-uns de ses poèmes
des bouts de phrase populaires ou provinciaux, on devine
le plaisir qu'il a dû prendre à les cueillir sur la moustache
de ses compagnons d'armes, que ceux-ci fussent médi-
terranéens :

> *Le territorial se mange une salade*
> *A l'anchois en parlant de sa femme malade* [2]

ou qu'ils vinssent des corons du Nord :

> *Mets du coton dans tes oreilles*
> *D'siré* [3].

Il lui est même arrivé de pratiquer par jeu une poésie
que l'on pourrait dire militaire, non qu'elle doive la moindre
chose à Déroulède, mais parce qu'elle emprunte ses
éléments soit aux misères et aux gaietés d'une unité
d'artillerie :

---

1. *Le Bestiaire ou Cortège d'Orphée*, Deplanche, 1911.
2. *Calligrammes*, A Nîmes.
3. *Id.*, Du coton dans les oreilles.

Le réveil a sonné et dans le petit jour je salue
La fameuse Nancéenne que je n'ai pas connue [1]

soit aux caquets de la tranchée :

Tant et tant de coquelicots
D'où tant de sang a-t-il coulé
Qu'est-ce qu'il se met dans le coco
Bon sang de bois il s'est saoulé
Et sans pinard et sans tacot
            Avec de l'eau
            Allo la truie

. . . .

Il a l'Étoile du Bénin
Mais du singe en boîtes carrées
Crois-tu qu'il y aura la guerre
            Allô la truie
        Ah ! s'il vous plaît
            Ami l'Anglais
            Ah ! qu'il est laid
Ton frère ton frère ton frère de lait [2].

Certes, on peut faire, devant cela, la petite bouche. Mais il serait difficile de nier l'alacrité que montrent les couplets que nous venons de citer, écrits à la diable, sur le front de Champagne, en février 1916. De sa montée en ligne jusqu'au jour de sa blessure, il semble d'ailleurs qu'Apollinaire n'ait que par exception fait paraître une humeur morose. Peut-être même a-t-il été, parmi la foule des combattants, le seul poète qui, sous le bombardement, ait eu le cœur de chanter le spectacle ; le seul à qui le danger ait imprimé une exaltation non pas guerrière ni chauvine, mais dionysiaque :

Que c'est beau ces fusées qui illuminent la nuit
Elles montent sur leur propre cime et se penchent pour regarder
Ce sont des dames qui dansent avec leur regard pour yeux
            [bras et cœur

. . . .

Ces danseuses surdorées appartiennent à tous les temps et à
            [toutes les races

---

1. *Calligrammes*, 2e canonnier conducteur.
2. *Id.*, Du coton dans les oreilles.

Elles accouchent brusquement d'enfants qui n'ont que le temps
[de mourir
Comme c'est beau toutes ces fusées
Mais ce serait bien plus beau s'il y en avait plus encore
S'il y en avait des millions qui auraient un sens complet et
[relatif comme les lettres d'un livre
Pourtant c'est aussi beau que si la vie même sortait des
[mourants [1].

Alors qu'en 1911, à la prison de la Santé, il s'apitoyait sur son infortune, en 1915 il se fait muter de l'artillerie à l'infanterie sans que le moindre souci de prudence retienne un instant sa décision. Sa mélancolie naturelle, si apparente dans *Alcools*, ne s'exprime guère dans les pièces de *Calligrammes* composées sur le front, et quand d'aventure elle le fait, ce n'est pas sur lui-même que le poète s'épanche, mais sur les garçons de la classe 16, appelés au feu dès dix-neuf ans :

Un fantassin presque un enfant
Bleu comme le jour qui s'écoule
Beau comme mon cœur triomphant
Disait en mettant sa cagoule

Tandis que nous n'y sommes pas
Que de filles deviennent belles
Voici l'hiver et pas à pas
Leur beauté s'éloignera d'elles

O lueurs soudaines des tirs
Cette beauté que j'imagine
Faute d'avoir des souvenirs
Tire de vous son origine [2].

Comparant son sort et le destin de ces enfants hâtivement habillés de bleu horizon, Apollinaire s'estimait heureux. Lui, au moins, pouvait se repaître à la fois de souvenirs et de promesses. Ses fiançailles lui avaient découvert la perspective d'une existence nouvelle que les événements semblaient associer à la naissance d'un monde ouvert à toutes les expériences et à toutes les libertés ; d'où la frénésie qui le soulevait parfois, notamment

---

1. *Id.*, Merveilles de la guerre.
2. *Calligrammes*, Chant de l'horizon en Champagne.

dans ces vers de septembre 1915, jetés sur le papier à la veille de l'inutile et désastreuse offensive de Champagne et dans le tumulte des préparations d'artillerie :

Mon désir est la région qui est devant moi...

CALLIGRAMMES

désir *Mon désir est la région qui est devant moi*
       Derrière les lignes boches
       Mon désir est aussi derrière moi
       Après la zone des armées

176

. . . .

Nuit violente et violette et sombre et pleine d'or par moments
Nuit des hommes seulement
Nuit du 24 septembre
Demain l'assaut
Nuit violente ô nuit dont l'épouvantable cri profond devenait
                    [plus intense de minute en minute
Nuit qui criait comme une femme qui accouche
Nuit des hommes seulement.

Lithographie de Chirico.

Sans doute Apollinaire faisait-il erreur en croyant assister à la genèse d'un monde nouveau, alors qu'il ne participait qu'au premier acte de la fin d'un monde. Mais c'était là une erreur fort répandue, et dont les combattants avaient besoin. On a vu que les *Calligrammes* étaient truffés de scies de caserne et de propos de bouthéon. On y trouve aussi, sans que cette fois l'humour s'en mêle, des divagations qui traduisent assez exactement quelques-unes des vues d'avenir échangées dans les popotes :

> *Ne pleurez donc pas sur les horreurs de la guerre*
> *Avant elle nous n'avions que la surface*
> *De la terre et des mers*
> *Après elle nous aurons les abîmes*
> *Le sous-sol et l'espace aviatique*
> *Maîtres du timon*
> *Après après*
> *Nous prendrons toutes les joies*
> *Des vainqueurs qui se délassent*
> > *Femmes Jeux Usines Commerce*
> > *Industrie Agriculture Métal*
> > *Feu Cristal Vitesse* [1].

La mort est venue de bonne heure rendre touchantes ces naïvetés qui, sans elle, eussent peut-être paru ridicules. De même que Hugo avait pratiqué la religion du progrès, Apollinaire pratiquait à sa manière la religion de l'avenir. Il y apportait moins de persévérance que Hugo dans la sienne, il lui advenait même d'oublier sa foi, mais il y revenait périodiquement. C'est ainsi que s'expliquent l'adhésion qu'il avait accordée en 1913 au futurisme de Marinetti, puis sa négligence à le soutenir, et en 1917 le caractère prophétique qu'il s'est efforcé de donner à ses essais de théâtre : les *Mamelles de Tirésias* et *Couleur du temps*.

Entre ses poèmes de guerre, ceux où il vaticine peuvent piquer la curiosité : ils n'emportent pas l'acquiescement. L'ambition qu'il a eue de dire l'avenir, et qu'il a plusieurs fois exprimée avec éloquence, ne lui a pas été aussi bénéfique que ses dons, moins vantés mais plus réels, d'observateur. On sourit à le voir annoncer que les vainqueurs se délasseront en prenant « toutes les joies » ; cela fait

---

1. *Calligrammes*, Guerre.

penser à l'épigraphe que Léon-Paul Fargue avait mise à son *Tancrède* : « Les capitaines vainqueurs ont une odeur forte ». On sourit aussi devant le mélange de familiarité et d'emphase dont est faite l'ode par laquelle il a salué l'entrée en guerre de l'Italie :

Je salue le Colleoni équestre de Venise
Je salue la chemise rouge
Je t'envoie mes amitiés Italie et m'apprête à applaudir aux
[hauts faits de ta bleusaille [1].

Les prosopopées dont il a orné ce morceau eussent mieux convenu à Mme de Noailles, et mieux eût valu laisser à Botrel « les flingots, Rosalie » et « l'âne boche » qu'on y voit, car Botrel, même s'il prend la plume d'Apollinaire, ne séduit pas plus qu'il n'émeut. En revanche quand, sans forcer le moins du monde son talent, Apollinaire arrange en poème la simple description de l'abri où il gîte, les mots qui lui viennent apparaissent à la fois si chargés de sens et de suc, qu'il peut élever à la dignité de *Palais du Tonnerre* ce terrier creusé dans la craie et où « un rat recule en hâte » : on ne songe plus à sourire.

Le plafond est fait de traverses de chemin de fer
Entre lesquelles il y a des morceaux de craie et des touffes
[d'aiguilles de sapin
Et de temps en temps des débris de craie tombent comme des
[morceaux de vieillesse
A côté de l'issue que ferme un tissu lâche d'une espèce qui sert
[généralement aux emballages
Il y a un trou qui tient lieu d'âtre et ce qui y brûle est un feu
[semblable à l'âme
Tant il tourbillonne et tant il est inséparable de ce qu'il
[dévore et fugitif
Les fils de fer se tendent partout servant de sommier supportant
[des planches
Ils forment aussi des crochets et l'on y suspend mille choses
Comme on fait à la mémoire
Des musettes bleues des casques bleus des cravates bleues des
[vareuses bleues
Morceaux du ciel tissus des souvenirs les plus purs
Et il flotte parfois en l'air de vagues nuages de craie [2].

---

1. *Id.*, A l'Italie.
2. *Calligrammes*, le Palais du Tonnerre.

APOLLINAIRE

Chaque combattant de 1914-1918 a pu, selon son arme et selon le secteur où il a le plus souffert, se faire une image personnelle de la guerre. L'image qu'Apollinaire nous en a montrée est essentiellement champenoise, et de la Champagne la plus ingrate, celle que l'on dit pouilleuse. On y repère des lieux dont le communiqué a popularisé les noms et dont le souvenir est désormais lié aux nuages de craie pulvérisée que soulevaient les tirs des deux artilleries :

Perthes Hurlus Beauséjour noms pâles et toi Ville-sur-Tourbe
Cimetières de soldats croix où le képi pleure [1].

. . . .

Je désire
Te serrer dans ma main Main de Massiges
Si décharnée sur la carte [2].

Il faut remonter à l'arrivée d'Apollinaire dans la zone des armées, au printemps de 1915, ou au plus tard au mois d'août 1915, pour sentir un souffle agreste dans ses écrits de guerre. En avril sa batterie avait bivouaqué, — en seconde ligne il est vrai, — dans une forêt que le feu de l'ennemi n'avait pas encore anéantie. Il a parlé de ce campement sous la ramée dans une de ses chroniques du *Mercure de France* consacrée aux « agréments de la guerre en avril » :

La forêt comprend diverses essences : il y a une futaie de pins, il y a encore des hêtres, beaucoup de bouleaux, des aulnes, des noisetiers et quelques merisiers. Là où sont les pins, c'est la cathédrale. Les obus des Boches y sont souvent tombés, mais elle est toujours debout érigeant sous la voûte d'aiguilles et de branchages le galbe de ses fûts.

Le bouleau brûle en répandant un parfum aromatique qui ressemble à celui que forment dans les églises l'encens et la cire mêlée.

L'odeur du merisier qui flambe est suave.

. . . .

Un rat fait sa toilette auprès des feuillées où se succèdent les accroupissements. L'encre est rare : quand on en a et qu'elle diminue, on l'allonge avec de l'eau et de la suie. Un lièvre pas poltron du tout lève le cul dans les pervenches [3].

_____

1. *Tendre comme le souvenir*, p. 51.
2. *Calligrammes*, Désir.
3. Cf. *Mercure de France*, août 1915.

En août, la batterie d'Apollinaire avait encore passé quelques jours sous la tente, dans un bois de sapins et de genévriers, où fleurissait l'euphorbe, — cette euphorbe verruquée plusieurs fois nommée dans *Calligrammes* :

> *Petites forêts de sapins*
> *La nichée attend la becquée*
> *Pointe-t-il des nez de lapins*
> *Comme l'euphorbe verruquée* [1]

et qui devait plaire au poète tant pour la rareté de son épithète que pour sa légende, qui veut que le roi Juba ait donné à sa plante favorite le nom d'Euphorbe son médecin.

L'automne venu, il ne pouvait plus être question d'arbres ni de fleurs en 1915 dans le secteur où se trouvait Apollinaire. Les arrosages de septembre, — fer, feu et eau, — avaient tout retourné, consumé ou noyé. Aussi le dernier poème champenois de *Calligrammes* n'a-t-il plus rien de bocager ; le bruit du canon y couvre les détonations du champagne :

Bonjour soldats bouteilles champenoises où le sang fermente
Vous resterez quelques jours et puis remonterez en ligne
Échelonnés ainsi que sont les ceps de vigne
J'envoie mes bouteilles partout comme les obus d'une char-
[mante artillerie

. . . .

C'est maintenant le soir et l'on joue à la mouche
Puis les soldats s'en iront là-haut
Où l'Artillerie débouche ses bouteilles crémantes
Allons Adieu messieurs tâchez de revenir
Mais nul ne sait ce qui peut advenir [2].

---

1. Cf. *Calligrammes*, Chant de l'horizon en Champagne.
2. *Calligrammes*, Le Vigneron champenois.

je ... envoie nouvelle
adresse par le
bulletin
ai été blessé à la
tête le 17

Emile ...

5 lieu ...
Ambulance
1/5 5
secteur 34

LA JOLIE ROUSSE

« Tâchez de revenir... » Il s'en est fallu de peu qu'Apollinaire ne revînt pas. C'est au repos dans les environs d'Épernay qu'il avait écrit au début de février 1916 son poème du *Vigneron champenois*. Depuis son retour de permission il se montrait un peu las. Son rôle de chef d'une section d'infanterie ne lui laissait pas les loisirs qu'il avait eus artilleur. Il ne pouvait plus se livrer aussi généreusement à la poésie, ses lettres à sa fiancée étaient moins bavardes et, semble-t-il, moins passionnées. Pourtant il restait enjoué avec ses compagnons, et le 14 mars il adressait encore à Max Jacob une épître pétillante de verve et de fantaisie, en même temps qu'il envoyait à Madeleine quelques lignes qu'il demandait que l'on tînt pour son testament, « s'il y avait lieu ». Trois jours plus tard, dans le bois des Buttes, près de Berry-au-Bac, sur le front de l'Aisne, il était gravement blessé à la tempe. Hospitalisé d'abord à Château-Thierry, puis évacué sur Paris, il présente au début de mai des signes de paralysie du côté gauche. On décide de le trépaner ; il est opéré le 9 mai à la Villa Molière, alors annexe du Val-de-Grâce.

Durant sa convalescence, il corrige les épreuves des nouvelles réunies dans *le Poète assassiné*, dont il avait remis le manuscrit à l'éditeur avant la guerre. Cappiello dessine la couverture du livre, — sans se soucier de le lire : son cavalier blessé n'a rien de commun avec le nouvel Orphée dont Apollinaire a raconté le martyre, mais au flot de sang qui lui jaillit de la tempe on reconnaît que c'est l'auteur lui-même que l'artiste a voulu figurer.

Au témoignage de ses anciens amis, la blessure

De l'ambulance où l'on vient de le panser, Apollinaire a griffonné ce cour billet à Fernand Divoire. Courriériste littéraire, Divoire publiait alors, avec René Bizet et Gaston Picard, un Bulletin des Écrivains qui informait les littérateurs et les poètes du sort de leurs amis et confrères mobilisés.

Dessin de Picasso.

APOLLINA

Photo prise à l'hôpital italien du Quai d'Orsay
pendant la convalescence du poète.

1916.

Bonjour mon poète je me souviens de votre voi...

GUILLAUME APOLLINAIRE, *dessin d'Irène Lagut.*

d'Apollinaire avait sensiblement altéré son caractère. La rupture, ou plutôt l'abandon de ses fiançailles avec Madeleine, semble le confirmer. Pourtant ses derniers vers ne paraissent ni d'un autre poète ni d'un autre homme. Quand en 1917 il rassemble pour *Calligrammes* la plupart des poèmes qu'il a écrits depuis *Alcools*, il groupe les plus récents sous la rubrique de « La Tête étoilée », c'est-à-dire en nommant de la façon la plus apollinarienne qui soit la cicatrice de sa tempe. C'est sa blessure même qu'il a chantée dans *Tristesse d'une étoile* :

> *Une belle Minerve est l'enfant de ma tête*
> *Une étoile de sang me couronne à jamais*
> *La raison est au fond et le ciel est au faîte*
> *Du chef où dès longtemps Déesse tu t'armais*

> *C'est pourquoi de mes maux ce n'était pas le pire*
> *Ce trou presque mortel et qui s'est étoilé*
> *Mais le secret malheur qui nourrit mon délire*
> *Est bien plus grand qu'aucune âme ait jamais celé* [1].

Mais à quel mal plus profond faisait-il allusion, à quelle étoile plus mauvaise que celle qu'un éclat d'obus avait gravée à son front ? A notre connaissance, il ne l'a jamais dit. En parlant du « pire de ses maux », peut-être déplorait-il simplement que l'amour ne fût pas encore revenu le hanter. Un romantisme mélancolique inspire ses vers de *Vitam impendere amori*, qui sont de 1917. A cette époque, « secret », « secret malheur », sont des mots fréquents sous sa plume :

> *Tu n'as pas surpris mon secret*
> *Déjà le cortège s'avance*
> *Mais il nous reste le regret*
> *De n'être pas de connivence.*

Est-ce Marie, Lou, Madeleine ou le fantôme de ces amours défuntes qui lui a dicté ces petits quatrains faits pour être dits à mi-voix ?

> *Dans le crépuscule fané*
> *Où plusieurs amours se bousculent*
> *Ton souvenir gît enchaîné*
> *Loin de nos ombres qui reculent*
> . . . .

---

1. *Calligrammes*, Tristesse d'une étoile.

APOLLINAIRE

Le soir tombe et dans le jardin
Elles racontent des histoires
A la nuit qui non sans dédain
Répand leurs chevelures noires [1].

Il serait vain de chercher à identifier des silhouettes aussi imprécises ; elles ne reflètent que les rêveries avec lesquelles le poète s'est efforcé durant une saison de combler le vide, qu'il redoutait tant, de son cœur. Quand il se défait d'elles et les livre au public en une plaquette qu'édite le Mercure de France, une série de dessins les accompagne, où Rouveyre, jusqu'alors réputé pour l'exactitude féroce de son trait, s'est abandonné à la tendresse la plus émue. On y voit un petit Amour, digne d'Anacréon et de Ronsard. Peut-être Rouveyre savait-il déjà

1. *Vitam impendere amori*, Édit. du Mercure de France .1917.

Dessins d'André Rouveyre pour Vitam impendere amori.

que l'archerot venait, pour la dernière fois, d'atteindre
au cœur Apollinaire ?

Pour Apollinaire, Mlle Jacqueline Kolb, qu'il allait
épouser bientôt, était « Ruby ». Pour les lecteurs de *Calligrammes*, elle sera toujours « la jolie rousse » dont les
cheveux d'or flambent aux dernières pages du livre. Mme
Faure-Favier dit qu'Apollinaire avait dès 1914 rencontré
Ruby chez le poète Pierre Jordaens : « S'ils avaient réci-
proquement gardé un souvenir charmé de cette soirée,
ajoute-t-elle, ils ne s'étaient jamais revus » avant que le
hasard, en avril 1917, ne les remît face à face. Faute de
connaître aucun poète du nom de Jordaens, nous nous
sommes quelquefois demandé si Mme Faure-Favier
n'avait pas voulu nommer Jules-Gérard Jordens, poète
lui aussi, tué en avril 1916 dans le même bois des Buttes
où Apollinaire avait été blessé quelques jours plus tôt.

Les poèmes inspirés par Ruby couronnent *Calligrammes*
comme le bouquet couronne le feu d'artifice ; ce sont *la
Victoire* et *la Jolie Rousse*. Rien dans le premier ne signale
au premier coup d'œil la présence de la jeune femme. Il
faut un instant scruter l'ombre pour distinguer la forme
allongée à qui le poète chuchote :

> *Ne sors plus de chez moi diamant qui parlais*
> *Dors doucement tu es chez toi tout t'appartient*
> *Mon lit ma lampe et mon casque troué.*

Dans *la Jolie Rousse*, au contraire, la confession est sans
mystère, les aveux sans détours :

> *Voici que vient l'été la saison violente*
> *Et ma jeunesse est morte ainsi que le printemps*
> *O Soleil c'est le temps de la Raison ardente*
>   *Et j'attends*
> *Pour la suivre toujours la forme noble et douce*
> *Qu'elle prend afin que je l'aime seulement*
> *Elle vient et m'attire ainsi qu'un fer l'aimant*
>   *Elle a l'aspect charmant*
>   *D'une adorable rousse*
> *Ses cheveux sont d'or on dirait*
> *Un bel éclat qui durerait*
> *Ou ces flammes qui se pavanent*
> *Dans les roses-thé qui se fanent.*

APOLLINAIRE

Le mariage de Ruby et d'Apollinaire fut célébré à Saint-Thomas d'Aquin le 2 mai 1918, — au temps où la Bertha tirait sur Paris, et six mois et sept jours seulement avant la fin du poète. Les servitudes du journalisme, auquel la nécessité l'avait contraint de revenir, prenaient alors à Apollinaire le plus clair de son temps. A l'exception de *Casanova*, petit livret d'opéra sans prétention, il ne put mettre le point final à aucun des travaux littéraires qu'il avait en cours en 1918. Du plus poussé d'entre eux, *La Femme assise*, appelée tantôt chronique et tantôt roman, deux versions ont été publiées à vingt-huit ans d'intervalle sans qu'on puisse dire à coup sûr quel sort l'auteur eût réservé à l'un et l'autre de ces deux manuscrits s'il avait vécu.

Durant les premiers jours de novembre, atteint par l'épidémie de grippe infectieuse qui sévissait alors et que les Parisiens nommaient « grippe espagnole » en craignant que ce ne fût la peste, Apollinaire était obligé de s'aliter. Sa blessure et sa trépanation, puis, au début de l'année 1918, une congestion pulmonaire, l'avaient rendu aisément vulnérable. Le 9 novembre, il s'éteignait à dix-sept heures, après s'être inutilement débattu contre une mort qui lui faisait horreur.

Deux mois plus tard, un hebdomadaire illustré, *la Baïonnette*, où Mac Orlan avait introduit Apollinaire, publiait le dernier texte que celui-ci eût lui-même livré à l'impression. *La Baïonnette* avait voulu consacrer un de ses numéros à un ensemble de contes « à la manière de Perrault ». Mieux que quiconque, Apollinaire était qualifié pour participer à cette entreprise : il était né conteur et Perrault avait ravi son enfance. Aussi s'était-il volontiers prêté au jeu auquel on le conviait. Pour lui, n'était-ce pas prendre un véritable bain de jouvence que de se retremper dans la fable ? Le destin en a jugé autrement qui a fait un conte posthume de cette fantaisie de poète, intitulée *la Suite de Cendrillon ou le rat et les six lézards*, où l'on apprend que les fameuses petites pantoufles de vair sont maintenant exposées au musée de Pittsburgh (Pensylvanie) et que les archéologues les tiennent pour des vide-poches datant de la première moitié du dix-neuvième siècle.

Apollinaire et sa femme
sur la terrasse de leur appartement
202 boulevard Saint-Germain.

APOLLINAIRE, *par Picasso.*
Composition cubiste publiée en frontispice
de l'édition originale d'Alcools (1913).

LES LECTURES D'APOLLINAIRE

La diversité de son œuvre, la disparate volontaire de sa poésie ont exposé Apollinaire aux jugements les plus contradictoires. S'il a eu de bonne heure des admirateurs et même des fanatiques, il a eu aussi des adversaires déclarés et de patients et discrets détracteurs. On lui a reproché d'être un mystificateur, un puffiste, un imitateur trop habile, un érudit, un brocanteur, un juif, un métèque, etc. Quand il s'est avisé de purger ses vers de toute ponctuation, on lui a imputé à crime soit le désir d'être original à tout prix, soit l'absence d'originalité qu'impliquait l'emploi d'un procédé déjà utilisé par Mallarmé.

Dès 1913 Apollinaire avait tenu à répondre à quelques-unes de ces critiques :

Quoi qu'on dise, écrivait-il dans une lettre à M. Henri Martineau, *je ne suis pas un grand liseur, je ne lis guère que les mêmes choses depuis mon enfance et je ne me suis jamais adonné à la lecture d'une façon méthodique, et si je suis lettré, ce que je crois, c'est plutôt par un goût naturel qui me fait bien saisir l'intensité de vie et de perfection d'un ouvrage soit d'art, soit de littérature, soit d'autre chose, c'est plutôt par une sorte d'intuition, dis-je, que par l'étude. Je n'ai jamais fait de farce et ne me suis livré à aucune mystification touchant mon œuvre ou celles des autres.*

Pour ce qui concerne la ponctuation je ne l'ai supprimée que parce qu'elle m'a paru inutile et elle l'est en effet ; le rythme même et la coupe des vers voilà la véritable ponctuation et il n'en est point besoin d'une autre. Mes vers ont presque tous été publiés sur le brouillon même. Je compose généralement en marchant et en chantant sur deux ou trois

*airs qui me sont venus naturellement et qu'un de mes amis
a notés. La ponctuation courante ne s'appliquerait point à
de telles chansons. Je crois n'avoir point imité, car chacun
de mes poèmes est la commémoration d'un événement de ma
vie et le plus souvent il s'agit de tristesse, mais j'ai des joies
aussi que je chante. Je suis comme ces marins qui dans les
ports passent leur temps au bord de la mer, qui amène tant
de choses imprévues, où les spectacles sont toujours neufs et
ne lassent point, mais brocanteur me paraît un qualificatif
très injuste pour un poète qui a écrit un si petit nombre de
pièces dans le long espace de quinze ans* [1].

Pour habile qu'il soit, ce plaidoyer n'en est pas moins
sincère dans son ensemble. Sans doute Apollinaire avait-
il lu davantage qu'il ne le reconnaît, mais auprès de quelques-uns de ses amis, auprès d'Elémir Bourges, de Remy
de Gourmont ou de Fernand Fleuret par exemple, il
pouvait se tenir pour un liseur plutôt modeste et repousser
la qualité d'érudit dont on voulait tantôt l'honorer et
tantôt l'accabler.

Les auteurs dont il semble avoir, inconsciemment peut-
être, retenu le mieux la leçon, sont, comme il est naturel,
ceux qui avaient dû le séduire par leur nouveauté quand
il avait dix-huit ou vingt ans. On peut avancer sans trop
de hardiesse que sa poésie se sera parfois souvenu de
celle d'Alfred Jarry ; qu'elle n'aura pas été indifférente
à certains procédés de style utilisés par Maeterlinck dans
ses *Serres chaudes*, non plus qu'à certains accents de Francis
Jammes, notamment à ceux qui s'élèvent des vers sur
Amsterdam dans *le Deuil des Primevères*. Mais des modèles
plus classiques ou plus traditionnels ont également intéressé Apollinaire. Quand il insère dans un poème d'*Alcools*,
par ailleurs peu soucieux des règles de Boileau, des vers
tels que ceux-ci :

> *Les cyprès projetaient sous la lune leurs ombres
> J'écoutais cette nuit au déclin de l'été
> Un oiseau langoureux et toujours irrité
> Et le bruit éternel d'un fleuve large et sombre* [2]

---

1. Lettre du 19 juillet 1913, publiée dans le n° 217 de la revue *Le
Divan*, mars 1938.
2. *Alcools*, le Voyageur.

on ne saurait sans doute soutenir mordicus qu'il se rallie à l'art de Moréas, mais devant certains animaux de son *Bestiaire*, devant sa *Chenille*, pour ne citer qu'elle :

Le travail mène à la richesse.
Pauvres poètes, travaillons !
La chenille en peinant sans cesse
Devient le riche papillon.

comment supposer que le charme naïf qui en émane est fait d'ignorance et que cette poésie didactique ne doit rien au moyen âge, à ses bestiaires et volucraires ou à ses chastie-musart ?

Si Apollinaire n'a pas été un « grand liseur », il a en tout cas su tirer un heureux parti de ses lectures. Pour n'avoir pas été méthodiques, elles n'en ont pas moins accru la richesse de son fonds poétique. Elles l'ont également aidé à se dégager assez vite de ce que Baudelaire appelait le style enfantin : il n'en reste rien dans les poèmes qu'Apollinaire a publiés après son départ pour l'Allemagne. Il était dès lors en possession de son métier, et il connaissait

Bois de Dufy.

sa maîtrise. D'où lui serait venue sans cela l'assurance qu'il manifestait en se proclamant « *fondé en poésie* »[1] quatre ans avant la publication d'*Alcools* et alors qu'il n'avait encore donné de vers qu'à quelques revues ?

Il est vrai qu'il a dit aussi dans un poème qu'il tenait pour l'un de ses meilleurs :

Pardonnez-moi mon ignorance
Pardonnez-moi de ne plus connaître l'ancien jeu des vers[2]

mais le contexte montre qu'il s'agit là d'une figure de style. La science poétique qu'il avait acquise ne l'a jamais abandonné. La poésie lui était d'ailleurs consubstantielle et rien ne l'en pouvait véritablement distraire. En 1917, s'efforçant de rapiécer d'anciens textes pour les faire entrer dans le « roman » promis à un éditeur, il écrivait avec mélancolie :

Douce poésie ! le plus beau des arts ! Toi qui suscites en nous le pouvoir créateur et nous rapproches de la divinité, les déceptions n'ont pas abattu l'amour que je te portai dès ma tendre enfance ! La guerre même a augmenté le pouvoir que la poésie exerce sur moi et c'est grâce à l'une et à l'autre que le ciel désormais se confond avec ma tête étoilée. Douce poésie ! je regrette que l'incertitude des temps ne me permette pas de me livrer à tes inspirations touchant la matière de ce livre, mais la guerre continue. Il s'agit, avant d'y retourner, d'achever cet ouvrage et la prose est ce qui convient le mieux à ma hâte[3].

Quels qu'aient été ses dons de poète, il semble en effet qu'à partir de sa vingtième année Apollinaire ait écrit moins volontiers mais plus librement en prose qu'en vers. Si la prose de *l'Enchanteur pourrissant*, son premier ouvrage, trahissait une certaine gaucherie, celle des contes qu'il envoyait dès 1902 à *la Revue Blanche* et qu'il a repris dans *l'Hérésiarque et Cie* révélait déjà une grande aisance. Alors que le texte de *l'Enchanteur* semblait souvent hésiter entre la prose et le vers, celui de *l'Hérésiarque* est d'un prosateur maître de son style comme de son sujet. A ces rapides progrès dans l'art d'écrire, l'influence de Marcel

---

1. Cf. *Alcools*, Poème lu au mariage d'André Salmon.
2. *Id.*, Les Fiançailles.
3. Cf. *La Femme assise*, édit. de 1948, p. 21.

Schwob nous paraît ne pas avoir été étrangère. En 1900, Apollinaire, pris en amitié par Léon Cahun, bibliothécaire à la Mazarine, avait été amené par celui-ci à la fréquentation et à la lecture de Marcel Schwob ; l'une et l'autre lui auront été profitables. Aucun des tics de la littérature symboliste, aucune des préciosités ridicules de l'écriture artiste ne dépare les contes de *l'Hérésiarque*. Si d'aventure un mot rare s'y glisse, c'est, comme chez Schwob, de la façon la plus naturelle et à l'endroit même où le sens et la vraisemblance en justifient tous deux l'emploi.

Peut-être l'enseignement qu'Apollinaire a reçu de Schwob s'est-il même étendu au-delà du style. Dans l'attention qu'il a prêtée aux individus pittoresques, dans le goût qu'il a montré des excentriques, semble subsister quelque chose de la sympathie particulière qu'éprouvait Schwob pour les personnages hors série. En en empruntant tous les éléments à la prose même d'Apollinaire, on pourrait composer sans trop de difficultés, sur Isaac Laquedem et sur les autres héros de *l'Hérésiarque*, des notices qui ressembleraient beaucoup aux *Vies imaginaires* de Schwob.

Une autre sorte de lecture a également retenu Apollinaire et aiguisé certaines de ses curiosités : c'est la lecture des satiriques italiens du XVIᵉ siècle, dans les textes originaux ou dans les consciencieuses traductions qu'en avait faites pour l'éditeur Liseux, entre 1880 et 1895, l'érudit Alcide Bonneau, qui fut quelques années plus tard, en compagnie de Charles Maurras, un des collaborateurs assidus de la Revue Encyclopédique Larousse. A quatre siècles de distance, les ecclésiastiques italiens que l'on aperçoit dans *l'Hérésiarque* conservent encore quelques-uns des traits que l'Arétin dans ses *Ragionamenti* et Berni dans ses *Capitoli* ont prêtés à leurs curés et à leurs prélats. L'intérêt qu'Apollinaire avait trouvé à la pratique de ces auteurs souvent irrespectueux était tel qu'il s'est attaché à en établir lui-même plusieurs éditions. S'il ne s'est amusé à traduire que quelques sonnets luxurieux de l'Arétin, il a consacré à celui-ci l'importante étude qui sert de préface à la fois à l'édition des *Ragionamenti* dans « les Maîtres de l'Amour » et au choix des *Plus belles pages de l'Arétin* dans la collection anthologique que dirigeait Remy de

Gourmont. Il a également préfacé et réédité la *Tariffa delle Puttane di Venegia*, dont le titre suffit à indiquer la tendance, et le *Dialogue du Zoppino*, de même inspiration. Il ne lui a pas échappé que c'est au truculent tarif des dames de Venise que Hugues Rebell avait demandé quelques-uns des noms que portent les courtisanes dans le roman de *la Nichina*. Mais Apollinaire, qui tenait Rebell pour un grand connaisseur de la littérature sotadique, s'est encore avancé bien plus loin que lui dans l'exploration des ouvrages que la Bibliothèque Nationale abrite jalousement sous la cote *Enfer*. Avec le concours de son ami Fernand Fleuret et de Louis Perceau, collaborateur de Gustave Hervé à *la Guerre Sociale*, il en a même dressé le catalogue, et c'est à son initiative que le marquis de Sade, quasi oublié depuis près d'un siècle, doit d'avoir été réimprimé à partir de 1909.

Fernand Fleuret, l'un des compagnons quotidiens d'Apollinaire en 1912, — vu par Marie Laurencin.

Du personnage pittoresque au livre singulier, le passage était sans doute inévitable, et Apollinaire est constamment allé de l'un à l'autre, davantage d'ailleurs par fantaisie que par système. Il a flâné dans les livres comme il le faisait dans les rues, avouant parfois, à la surprise de ses interlocuteurs, qu'il n'avait jamais lu tel ou tel ouvrage capital ou qu'il n'en connaissait que les morceaux cités dans les recueils scolaires. Dans une lettre à sa fiancée Madeleine, que des études d'anglais condamnaient à lire *le Paradis perdu* de Milton, il a confessé implicitement être peu enclin à la contention d'esprit qu'exige le commerce de certains chefs-d'œuvre :

Certes la lecture du Paradis perdu *n'est pas réjouissante. Il faudrait pour l'entreprendre l'absence de tout livre comme ici* [sur le front].
. . . .
Au demeurant les chefs-d'œuvre ne sont pas faciles à lire. Il faut beaucoup d'esprit et de constance pour les examiner sans sommeil et c'est vraiment la marque d'un esprit supérieur que pouvoir s'attacher aux chefs-d'œuvre [1].

Il prétendait n'avoir lu Victor Hugo qu'à trente ans passés, et peut-être n'a-t-il vraiment découvert qu'alors le poète d'*Olympio*. En 1913, ayant eu l'occasion de visiter le cimetière de Villequier et de s'y arrêter devant les tombes d'Adèle Hugo et de Léopoldine, il écrivait dans le *Mercure de France* :

Le cimetière pourrait être un lieu de pèlerinage pour les hugolâtres, mais il en vient rarement ici, peut-être même commencent-ils à être rares ailleurs. Et tandis qu'ils diminuent, le grand poète compte chaque jour de secrets admirateurs parmi les jeunes poètes [2].

Il semble bien qu'Apollinaire, se rangeant parmi ces « jeunes poètes », ait fait là amende honorable d'une longue négligence à l'égard de Hugo. En revanche, rien n'indique qu'il se soit jamais départi de son indifférence pour les philosophes et les métaphysiciens. On chercherait en vain dans ses ouvrages la plus furtive référence à Descartes ou à Pascal, à Kant ou à Nietzsche. Il leur a toujours préféré non seulement les poètes, mais même les romanciers populaires. En 1914, il menait grand bruit autour de *Fantômas* :

---

1. *Tendre comme le souvenir*, p. 42, lettre du 22 juin 1915.
2. Cf. *Mercure de France*, 16 septembre 1913.

Cet extraordinaire roman, plein de vie et d'imagination, écrit n'importe comment, mais avec beaucoup de pittoresque, a trouvé, grâce à la vogue que lui a conférée le cinéma, un public cultivé qui se passionne pour les aventures du policier Juve, du journaliste Fandor, de lady Beltham, etc., etc.

La lecture des romans populaires d'imagination et d'aventures est une occupation poétique du plus haut intérêt. Pour ma part, je m'y suis toujours livré par à-coups, mais complètement, huit, dix jours de suite. Ce sont même, je crois, à peu près les seuls livres que j'aie bien lus et j'ai eu le plaisir de rencontrer nombre de bons esprits qui partageaient ce goût avec moi.

Le grand Elémir Bourges, qui a dévoué une grande partie de sa vie à la lecture des livres les plus sérieux, les plus difficiles à lire, et que peu de gens lisent, se recrée parfois en lisant des romans d'imagination. Le merveilleux Dumas père, le poétique Paul Féval, inventeur de chansons imprévues et touchantes comme celles que nous a conservées le riche folklore de la Bretagne, les épopées populaires américaines : Nick Carter *et* Buffalo Bill, *ces deux éloges de l'énergie contre lesquels s'élèvent bien mal à propos certains moralistes, n'ont pas de secret pour lui...*

Fantômas *est, au point de vue imaginatif, une des œuvres les plus riches qui existent* [1].

La réputation d'érudit que lui avait faite l'ignorance d'un grand nombre de ses confrères amusait beaucoup Apollinaire, et tout en protestant qu'il ne la méritait pas, il s'employait couramment à l'entretenir, en alléguant, dans sa conversation ou dans ses écrits, soit des auteurs inconnus, soit les pages les plus oubliées des auteurs célèbres. Il avait apprécié un tour d'esprit analogue en écoutant Ernest La Jeunesse, qui étalait volontiers les connaissances les plus insolites, et surtout il avait été séduit par ce qu'il avait appris sur la conversation de Gérard de Nerval. Toute une part de ses secrets d'écrivain tient peut-être dans une de ses chroniques du *Mercure*, qui date de 1911 et qui, consacrée à Gérard, n'en constitue pas moins une discrète confession, ce qu'il y dit de cet « esprit charmant » pouvant assez exactement convenir à son propre personnage :

---

1. *Id.*, 16 juillet 1914.

La conversation de Gérard était des plus étranges et avait une saveur singulière.

« Il apprenait avec étonnement, dit Auguste de Belloy, que vous n'aviez jamais lu Origène ni Apollonius de Tyane ; que vous n'étiez pas en état de faire la distinction d'Hillel l'Ancien et d'Hillel le Saint ; que vous ignoriez jusqu'au nom d'Asclépiodote ou de Wigbode. Les formules suivantes ne tarissaient pas dans sa bouche : — Vous avez lu dans Maïmonide... — Vous vous rappelez ce passage de Bhavabouti... — Il faut n'avoir jamais lu les Préadamites de Lapeyrère... etc., etc. »

Esprit charmant ! Je l'eusse aimé comme un frère. Et qu'on ne s'y trompe point, une telle conversation n'indique pas ce qu'il est convenu aujourd'hui d'appeler de l'érudition et qui n'en est point; c'était tout simplement l'indice d'une imagination ardente qu'il essayait de mettre à la portée de son interlocuteur en choisissant parmi les notions que tout le monde peut avoir acquises, les plus rares. Car, pour ce qu'il imaginait, il n'en parlait pas au premier venu, ni peut-être à personne, mais tenait son imagination en éveil, même pendant la conversation, grâce à ces bizarreries historiques et littéraires auxquelles, sans doute, il ne pensait jamais [1].

---

1. Cf. *Mercure de France*, 16 juillet 1911.

« *MOI QUI CONNAIS LES AUTRES* »

Ç'a été une des marottes d'Apollinaire que de se proclamer devin. Peut-être son penchant au mimétisme l'incitait-il à rivaliser, dans le domaine de la divination, avec son ami Max Jacob, pour qui les lignes de la main étaient d'une lecture courante et dont la science astrologique était toujours prête à vous guider dans le choix d'une pierre précieuse ou, plus simplement, d'une cravate. Apollinaire, lui, se flattait de distinguer à mille signes la nature de son prochain, mais il se déclarait par contre incertain de la sienne. Il a complaisamment exposé l'ignorance et les dons qu'il s'attribuait dans son poème *Cortège,* sous la solennité duquel se dessine toutefois un sourire ambigu :

Un jour
Un jour je m'attendais moi-même
Je me disais Guillaume il est temps que tu viennes
Pour que je sache enfin celui-là que je suis
Moi qui connais les autres

Je les connais par les cinq sens et quelques autres
Il me suffit de voir leurs pieds pour pouvoir refaire ces gens
                                                                    [à milliers
De voir leurs pieds paniques un seul de leurs cheveux
Ou leur langue quand il me plaît de faire le médecin
Ou leurs enfants quand il me plaît de faire le prophète
Les vaisseaux des armateurs la plume de mes confrères
La monnaie des aveugles les mains des muets
Ou bien encore à cause du vocabulaire et non de l'écriture
Une lettre écrite par ceux qui ont plus de vingt ans
Il me suffit de sentir l'odeur de leurs églises

145

L'odeur des fleuves dans leurs villes
Le parfum des fleurs dans les jardins publics
. . . .
Il me suffit de goûter la saveur du laurier qu'on cultive pour
[que j'aime ou que je bafoue
Et de toucher les vêtements
Pour ne pas douter si l'on est frileux ou non
O gens que je connais
Il me suffit d'entendre le bruit de leurs pas
Pour pouvoir indiquer à jamais la direction qu'ils ont prise
Il me suffit de tous ceux-là pour me croire le droit
De ressusciter les autres
Un jour je m'attendais moi-même
Je me disais Guillaume il est temps que tu viennes
Et d'un lyrique pas s'avançaient ceux que j'aime
Parmi lesquels je n'étais pas [1].

« Vous savez, disait Racine, que les poètes se piquent d'être prophètes ». Apollinaire, s'il ne faisait pas exception à la règle, ne trouvait cependant pas en lui-même l'assurance que font paraître d'ordinaire ceux qui se mêlent de dire l'avenir. Le naïf désir de connaissance, et partant de sécurité, qui mène les femmes inquiètes chez la voyante et procure une clientèle aux thaumaturges les plus douteux, ne lui a pas été étranger : on le voit percer en plusieurs endroits de ses livres, et s'il l'a parfois considéré avec une certaine ironie, il l'a néanmoins éprouvé. En octobre 1911, peu après la semaine de prison que lui avait value l'affaire Piéret, il signalait à ses lecteurs du *Mercure* la justesse des propos qu'une pythonisse lui avait tenus quelques mois plus tôt :

Les événements qui obligèrent tout dernièrement un habitant de la Rive droite à aller se loger sur la Rive gauche m'avaient été prédits, et voici dans quelles circonstances :

Un peintre anglais dont j'avais eu l'occasion de dire du bien à propos de son envoi aux Indépendants vint m'en remercier. C'était au mois d'avril. Je connus bientôt que mon visiteur cultivait les sciences occultes et, curieux, comme je me flatte de l'être, de tous les détails de l'histoire civile, je lui demandai s'il lui avait été déjà possible de vérifier des prophéties. Il me répondit que oui, qu'il avait recueilli de la bou-

---

1. *Alcools*, Cortège.

che d'une voyante des prédictions qui s'étaient réalisées et me proposa de me présenter à cette dame.

Je la rencontrai quelques jours plus tard. Elle ne cherche point à tirer profit de l'extraordinaire faculté qu'elle possède de prévoir l'avenir. Néanmoins, j'ai été autorisé à faire connaître son nom au public.

Mme Violette Deroy m'a prédit les événements que l'on sait sans employer aucun ingrédient ou agent magique.

Et j'avoue que la précision avec laquelle, ne me connaissant en aucune façon, elle m'avait parlé de ma vie passée n'avait pas laissé de m'étonner. Aussi, ce qu'elle me dit de l'avenir m'impressionna vivement. Toutefois, au bout de quelques jours, je n'y pensai plus ; c'est que sans doute les conclusions, flatteuses pour moi, de sa prophétie m'avaient fait oublier les détails fâcheux qu'elle contenait.

J'en avais cependant parlé à plusieurs personnes qui me l'ont rappelé ces jours-ci et moi-même je m'en étais bien souvenu.

Cet événement bizarre me force désormais à croire aux oracles ; il m'engage également à douter de leur utilité. Tous ceux qui se mêlent de prédire sont comme cette Cassandre que personne ne voulait croire [1].

En dépit de cette conclusion sceptique quant à la nécessité des oracles, Apollinaire consulta probablement d'autres sibylles, car son poème *Sur les prophéties*, postérieur à la chronique que nous venons de citer, en nomme plusieurs dont il n'avait pas parlé auparavant :

J'ai connu quelques prophétesses
Madame Salmajour avait appris en Océanie à tirer les cartes
C'est là-bas qu'elle avait eu encore l'occasion de participer
A une scène savoureuse d'anthropophagie
Elle n'en parlait pas à tout le monde

En ce qui concerne l'avenir elle ne se trompait jamais
Une cartomancienne crétane Marguerite je ne sais plus quoi
Est également habile
Mais Madame Deroy est la mieux inspirée
La plus précise
Tout ce qu'elle m'a dit du passé était vrai et tout ce qu'elle
M'a annoncé s'est vérifié dans le temps qu'elle indiquait

---

1. Cf. *Mercure de France*, 16 octobre 1911.

J'ai connu un sciomancien mais je n'ai pas voulu qu'il inter-
[rogeât mon ombre [1]

Nous avons mentionné ailleurs les indices qui laissent supposer que la mère du poète, Madame de Kostro-witzky, donnait dans la superstition. Apollinaire lui-même avouait à demi des inquiétudes superstitieuses. Dans son poème *Sur les prophéties* s'expriment à la fois la crainte des présages fâcheux et le flegme d'un esprit fort :

Miroir brisé sel renversé ou pain qui tombe
Puissent ces dieux sans figures m'épargner toujours
Au demeurant je ne crois pas mais je regarde et j'écoute et
[notez
Que je lis assez bien dans la main [1]

Dans le conte du *Passant de Prague* qu'Apollinaire avait écrit en 1902, au retour du voyage qui l'avait conduit de Rhénanie jusqu'en Bohême, le Juif Errant désigne à l'attention de son compagnon de rencontre les murailles de gemmes qui, dans la cathédrale de Prague, ornent la chapelle de saint Wenceslas :

Il m'indiqua une améthyste.

— Voyez, au centre, les veinures dessinent une face aux yeux flamboyants et fous. On prétend que c'est le masque de Napoléon.

— C'est mon visage, m'écriai-je, avec mes yeux sombres et jaloux !

Et c'est vrai. Il est là, mon portrait douloureux, près de la porte de bronze où pend l'anneau que tenait saint Wenceslas quand il fut massacré. Nous dûmes sortir. J'étais pâle et malheureux de m'être vu fou, moi qui crains tant de le devenir [2].

Ce détail d'un conte provient-il d'une anecdote vécue ? On n'aurait aucune raison de le penser ni même de se poser pareille question, si, onze ans plus tard, le poème liminaire d'*Alcools*, dont le caractère autobiographique est indubitable, n'avait évoqué le même incident et les mêmes lieux :

---

1. *Calligrammes,* Sur les prophéties.
2. Cf. *L'Hérésiarque et Cie,* Le Passant de Prague.

Épouvanté tu te vois dessiné dans les agates de Saint-Vit
Tu étais triste à mourir le jour où tu t'y vis
Tu ressembles au Lazare affolé par le jour
Les aiguilles de l'horloge du quartier juif vont à rebours
Et tu recules aussi dans ta vie lentement
En montant au Hradchin et le soir en écoutant
Dans les taverns chanter des chansons tchèques [1].

Couverture, illustrée par Marie Laurencin, de la traduction allemande de
Zone, publiée en plaquette à Berlin quelques mois avant la guerre.

Les poèmes d'*Alcools* abondent en présages et en inter-
signes, en pentacles et en talismans. Dans *Merlin et la
Vieille Femme*, les vents apportent « des poils et des mal-
heurs ». Dans *le Larron*, les Chaldéennes se parent de
colliers protecteurs auxquels pend

> *La pierre prise au foie d'un vieux coq de Tanagre*

et un chœur y nomme

> *Les puiseurs d'eau barbus coiffés de bandelettes*
> *Noires et blanches contre les maux et les sorts.*

Sans doute n'y a-t-il pas lieu d'attribuer à cet arsenal
magique une réalité quelconque dans la vie d'Apollinaire.
Son inquiétude foncière n'avait fait de lui ni un Stanislas
de Guaita, ni un Grillot de Givry, ni un nécromant comme
son confrère de *l'Intransigeant*, Fernand Divoire, par qui,

---

1. *Alcools*, Zone.

disait-on, M. Léon Bailby, patron de ce journal, redoutait d'être envoûté. La curiosité d'Apollinaire et son goût du pittoresque suffisent à expliquer les retours fréquents de sa muse à la sorcellerie antique. Loin d'accorder à celle-ci la moindre créance, il semble au contraire avoir de tout temps professé un fatalisme qui ne lui interdisait pas de chercher à pénétrer le secret de l'avenir, mais qui l'empêchait du moins de nourrir l'illusion qu'on puisse amender son destin. Dès 1902 le sentiment de l'irrévocable imprègne ses vers de *la Tzigane*, écrits au bord du Rhin :

> *La tzigane savait d'avance*
> *Nos deux vies barrées par les nuits*

et qui le montrent assuré de la vanité de sa passion pour Annie, au moment même où il dépensait le plus de fougue à la conquête de la jeune Anglaise.

Le mot *destin* est un de ceux qui reviennent le plus souvent dans *la Chanson du Mal Aimé* et même dans tout *Alcools*, mais à l'emploi qui en est fait :

> *Amour vos baisers florentins*
> *Avaient une saveur amère*
> *Qui a rebuté nos destins*
> . . . .
> *Douleur qui doubles les destins*
> . . . .
> *Destins destins impénétrables*

il apparaît nettement que, dans l'esprit du poète, ce mot se trouvait si étroitement lié à l'idée du pire qu'il eût été à peu près impossible qu'Apollinaire parlât un jour d'un « heureux destin ».

Contre ce pessimisme foncier, la religion ne lui était d'aucun secours. L'enseignement des prêtres qui, à Monaco, avaient été ses premiers maîtres, ne l'avait nullement marqué. Dès son adolescence, sa foi était devenue des plus tièdes. A dix-neuf ans, l'affaire Dreyfus, en le dressant contre un ordre social où la raison d'État autorisait la forfaiture, avait achevé de le détourner de l'Église. Il terminait une lettre à son camarade Toussaint-Luca en appelant de ses vœux le terroriste de *Germinal* :

Je te quitte en souhaitant que vienne Souvarine, l'homme qui doit venir, le blond qui détruira les villes et les hommes. Que 1899 entende encore une voix comme celle de Zola et la Révolution est au bout. Mais Picquart-Athéné agit mal : il se laisse torturer ! Il s'est laissé prendre et ils ne le lâcheront pas. Il est martyr, et tout en admirant Picquart-Athéné, je songe au mot de Proudhon : « Il n'y a qu'une espèce qui soit plus haïssable que les bourreaux, ce sont les martyrs [1] ».*

S'il revint plus tard non à l'Église mais à la prière, ce ne fut que de loin en loin et de façon furtive. Le seul poème où il ait invoqué Dieu est un de ceux qu'il fit en prison :

> *Que deviendrai-je ô Dieu qui connais ma douleur*
> *Toi qui me l'as donnée*
> *Prends en pitié mes yeux sans larmes ma pâleur*
> *Le bruit de ma chaise enchaînée*
>
> *Et tous ces pauvres cœurs battant dans la prison*
> *L'Amour qui m'accompagne*
> *Prends en pitié surtout ma débile raison*
> *Et ce désespoir qui la gagne* [2]

mais peut-être cette prière doit-elle davantage à la poésie et à l'exemple verlainiens qu'à la foi du détenu qui la formule.

La présence de l'Église dans les vers de *Zone* n'est guère plus significative. Sous le coup de la rupture que vient de lui signifier Marie, Apollinaire se remémore son enfance ; il se rappelle les nuits ferventes passées avec René Dupuy dans la chapelle du collège Saint-Charles, mais quelque malade qu'il soit maintenant « *d'ouïr les paroles bienheureuses* », le cœur lui manque de se présenter au tribunal de la pénitence :

> *Et toi que les fenêtres observent la honte te retient*
> *D'entrer dans une église et de t'y confesser ce matin.*

Est-ce vraiment par respect humain qu'il hésite à retourner à Dieu ?

---

1. Cf. A. Toussaint-Luca, *Guillaume Apollinaire* (Souvenirs d'un ami), Éditions de la Phalange, 1920, p. 26.
2. *Alcools*, A la Santé, IV.

L'angoisse de l'amour te serre le gosier
Comme si tu ne devais jamais plus être aimé
Si tu vivais dans l'ancien temps tu entrerais dans un
[*monastère*
Vous avez honte quand vous vous surprenez à dire une
[*prière*
Tu te moques de toi et comme le feu de l'Enfer ton rire pétille.

Sans mettre en question la sincérité de *Zone*, la foi qui s'exprime dans ce poème est trop circonstancielle pour qu'on s'y arrête longuement. Il en va d'elle comme de cette inclination à la vie monastique, à laquelle Apollinaire fait allusion ici. Il ne se l'est découverte que dans ses moments de mélancolie. En mai 1916, deux jours avant sa trépanation, il écrivait à la fiancée qu'il s'apprêtait à délaisser :

Je ne suis plus ce que j'étais à aucun point de vue et si je m'écoutais je me ferais prêtre ou religieux.

Mais, pour une raison ou pour une autre, les velléités qu'il a pu avoir d'imiter son oncle paternel, Dom Romarino, et de quitter le monde pour prendre l'habit ne paraissent pas avoir duré beaucoup plus que le temps de les reconnaître, — et de les repousser.

Tu es debout devant le zinc d'un bar crapuleux
Tu prends un café à deux sous parmi les malheureux

Tu es la nuit dans un grand restaurant
On chante on danse on boit du champagne
Ces femmes ne sont pas méchantes elles ont des soucis
[cependant
Toutes même la plus laide a fait souffrir son amant

Elle est la fille d'un sergent de ville de Jersey
Ses mains que je n'avais pas vues sont dures et
[gercées
J'ai une pitié immense pour les coutures de son
[ventre

J'humilie maintenant à une pauvre fille au rire
[horrible ma bouche

La nuit s'éloigne ainsi qu'une belle métive
C'est Ferdine la fausse ou Léa l'attentive
Et tu bois cet alcool brûlant comme ta vie
Ta vie que tu bois comme une eau-de-vie

Tu marches vers Auteuil tu veux aller chez toi à pied
Dormir parmi les fétiches d'Océanie et de Guinée
Ils sont des Christ d'une autre forme et d'une autre
[croyance
Ce sont les Christs inférieurs des obscures espérances
Adieu adieu

Soleil levant cou tranché

GUILLAUME APOLLINAIRE

Les derniers vers de Zone, *dans le numéro de décembre* 1912 *des* Soirées de Paris. *On y relève quelques variantes avec le texte du même poème tel qu'il paraîtra, quatre mois plus tard, en tête d'*Alcools.

LA FUITE DES JOURS

Dans une note sur *Alcools*, Fernand Fleuret soulignait il y a quarante ans le caractère villonesque de la poésie d'Apollinaire, caractère que la guerre qui se préparait alors ne devait pas sensiblement modifier. Les principaux thèmes de Villon : l'amour, la fuite du temps, la mort, se retrouvent en effet dans les vers d'Apollinaire et la constance avec laquelle celui-ci a à son tour exploités les deux premiers ne permet pas de penser qu'il les ait simplement repris et traités comme des lieux communs poétiques.

Sans doute faut-il prendre garde à ne pas choir ici dans des démonstrations *a posteriori* : ce n'est pas parce qu'il est mort jeune qu'Apollinaire a déploré la brièveté des jours ; ce n'est pas l'éclat d'obus de 1915 qui lui a fait écrire dans *Alcools* :

> *Et j'espérais la fin du monde*
> *Mais la mienne arrive en sifflant comme un ouragan* [1].

La pauvreté et les déboires amoureux ont plus sûrement entretenu la mélancolie d'Apollinaire que tous les pressentiments que l'on a pu, après coup, lui supposer. En 1904 le départ d'Annie, en 1910 l'échec de son *Hérésiarque* au prix Goncourt, en 1911 son arrestation, en 1912 la rupture décidée par Marie, tous ces revers et toutes ces infortunes l'avaient peu à peu amené sinon à la conviction, du moins à la crainte permanente de se voir sans cesse privé d'amour et privé d'argent. Encore se serait-il résigné

---

1. *Alcools*, Les Fiançailles.

gaillardement à la gêne matérielle, — il n'a jamais souhaité l'opulence, étant de goûts modestes, et la guerre a prouvé qu'il s'accommodait sans gémir des conditions d'existence les plus dures, — mais les dédains qu'il avait essuyés l'emplissaient à la fois du regret des jours perdus, du besoin d'un amour nouveau et de la peur que cet amour lui fût refusé.

Il a dit dans son *Bestiaire* :

> *Belles journées, souris du temps,*
> *Vous rongez peu à peu ma vie,*
> *Dieu ! je vais avoir vingt-huit ans,*
> *Et mal vécus, à mon envie.*

et les mots qu'il a eus pour évoquer la fuite du temps, soit dans *l'Émigrant de Landor Road* :

> *Des cadavres de jours rongés par les étoiles*

soit dans *Vendémiaire* :

> *Et moi qui m'attardais sur le quai à Auteuil*
> *Quand les heures tombaient parfois comme les feuilles*
> *Du cep*

ont été pour lui autre chose que des poncifs, puisque c'était, dans *l'Émigrant de Landor Road*, la perte d'Annie et, dans *Vendémiaire*, la perte de Marie qui les lui faisaient prononcer.

Auprès des accents que lui a arrachés le rappel des jours anéantis :

> *Passons passons puisque tout passe*
> *Je me retournerai souvent*
> *Les souvenirs sont cors de chasse*
> *Dont meurt le bruit parmi le vent* [1]

auprès des interrogations que les soucis quotidiens ont amenées sur ses lèvres :

> *Crois-tu donc au hasard qui coule au sablier* [2]

---

1. *Alcools*, Cors de chasse.
2. *Id.*, Le Larron.

ce qu'il a dit de la mort paraît faible. Quand il écrit dans
Alcools :

> *Liens déliés par une libre flamme Ardeur*
> *Que mon souffle éteindra O Morts à quarantaine*
> *Je mire de ma mort la gloire et le malheur*
> *Comme si je visais l'oiseau de la quintaine* [1]

il charme, mais il n'émeut pas, n'étant lui-même nullement
ému.

Dans *Calligrammes*, aux trois quarts composés de
poèmes de guerre, la mort est moins nommée peut-être
que dans *Alcools*, et c'est tout à l'honneur du poète que
d'avoir observé tant de discrétion et de pudeur touchant
un risque accepté, choisi et couru sans le moindre mar-
chandage. *Calligrammes* ne fait guère d'allusions à la mort
que pour rappeler, sans élever la voix, le sacrifice des
adolescents des classes 15 et 16 :

> *Vers un village de l'arrière*
> *S'en allaient quatre bombardiers*
> . . . .
> *Tous quatre de classe seize*
> *Parlaient d'antan non d'avenir*
> *Ainsi se prolongeait l'ascèse*
> *Qui les exerçait à mourir* [2].

---

1. *Alcools*, Les Fiançailles.
2. Cf. *Calligrammes*, Exercice.

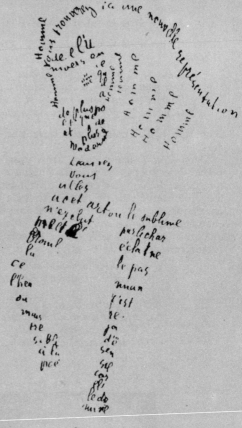

tout terriblement

Guillaume Apollinaire

LES FRUITS DE LA GAIETÉ

A la réflexion, la crainte nous vient d'avoir trop insisté sur la mélancolie d'Apollinaire, de n'avoir pas accordé assez de place à sa force d'âme, à la gaieté qui parfois s'emparait de lui, et d'avoir ainsi méconnu l'équilibre de son personnage. Nous avons pourtant souligné au cours de ces pages l'agrément de son commerce, son appétit d'amitié, l'égalité de son humeur sur la ligne de feu. Si, en définitive, la mélancolie prédomine dans le portrait que nous avons dégagé de sa lecture, la raison s'en trouve peut-être dans son œuvre autant que dans notre maladresse. Les beaux jours d'un homme de vingt ou de trente ans ne sont pas ceux qui le voient le plus à sa table de travail, même quand son travail ne le rebute pas.

Apollinaire disait de lui à sa fiancée de 1915 qu'il était « très gai avec de soudaines tristesses ». En poésie, cette gaieté s'est surtout exprimée entre le printemps de 1913 et le 1er août 1914, quand, sortant enfin de l'abattement et de la torpeur où l'avait plongé la fin de sa liaison avec Marie, il s'est jeté à corps perdu dans la nouveauté. C'est à ce moment qu'il a bruyamment rallié le futurisme de Marinetti, qu'il considérait dix-huit mois auparavant sans hostilité, mais avec une ironie souriante, — et qu'il devait considérer un peu plus tard avec le même détachement et la même ironie qu'autrefois. C'est également de cette époque d'euphorie que datent ses « poèmes-conversation », dont la première partie de *Calligrammes* offre plusieurs échantillons et où se trouvent joyeusement mêlés, comme dans un kaléidoscope secoué par une main espiègle, des images écloses dans l'esprit du poète, des bribes de dialogues entendus au café, des noms lus sur des affiches et des bouts de phrases prélevés dans les journaux :

La mère de la concierge et la concierge laisseront tout passer
Si tu es un homme tu m'accompagneras ce soir
Il suffirait qu'un type maintînt la porte cochère
Pendant que l'autre monterait

Trois becs de gaz allumés
La patronne est poitrinaire
Quand tu auras fini nous jouerons une partie de jacquet
Un chef d'orchestre qui a mal à la gorge
Quand tu viendras à Tunis je te ferai fumer du kief

Ça a l'air de rimer

Des piles de soucoupes des fleurs un calendrier
Pim pam pim
Je dois fiche près de 300 francs à ma probloque
Je préférerais me couper le parfaitement que de les lui donner [1]

Le poème *les Fenêtres*, composé selon les mêmes principes pour servir d'introduction au catalogue d'une exposition de peintures de Robert Delaunay, plaisait beaucoup à Apollinaire, qui se flattait d'avoir conçu là une esthétique nouvelle, dont il se plaignait en 1915 de ne pouvoir « retrouver les ressorts ».

Enfin, c'est également au cours de ce pétulant premier semestre de 1914 que se situe la plus vigoureuse offensive d'Apollinaire en faveur du douanier Rousseau, dont quelques années plus tôt il regardait les toiles avec plus de sympathie amusée que de véritable admiration. Mais pour n'avoir pas été spontanée, l'admiration qui lui était venue ne laissait pas d'être sincère, et la suite des événements a prouvé du reste qu'elle pouvait être largement partagée.

C'est pourtant à son apologie du douanier Rousseau qu'Apollinaire aura dû de voir s'étendre la réputation de mystificateur contre laquelle il s'élevait déjà en juillet 1913 dans la lettre que nous avons citée[2], à M. Henri Martineau. Sans doute ses « poèmes-conversation » et les petits poèmes idéographiques auxquels il s'est amusé à donner l'aspect d'une averse ou d'un jet d'eau, la forme d'un cœur ou la

---

1. *Calligrammes*, Lundi rue Christine.
2. Voir page 135.

APOLLINAIRE ET SA MUSE,
par le douanier Rousseau.

silhouette du dernier des Mohicans, ont-ils, eux aussi, favorisé cette réputation que sa défense de la peinture cubiste avait déterminée, mais ils ne l'ont pas servie autant que l'éloge des toiles du Douanier. Devant le succès qu'obtint dès 1914 la spéculation que des marchands avisés avaient faite sur cette peinture, Apollinaire passa pour un mystificateur astucieux, — réputation qui n'a pas laissé de l'encombrer quelque peu.

En réalité, il n'a inscrit à son actif, ou, si l'on préfère, à son passif, aucune mystification, mais seulement une excellente supercherie. Elle avait consisté à offrir aux lecteurs des *Marges*, durant l'année 1909, une malicieuse chronique de la littérature féminine, entièrement rédigée par lui, mais signée Louise Lalanne, et dans laquelle cette femme de lettres supposée jugeait les productions de ses consœurs avec une franchise insolite.

On ne peut tenir ni pour des mystifications ni même pour des supercheries les signatures qu'Apollinaire a mises à deux ouvrages, *la Fin de Babylone* et *la Rome des Borgia*, qui lui avaient été commandés par la Bibliothèque des Curieux et qu'il fit écrire presque entièrement par des « nègres » amis, et surtout par René Dalize. Pour que ce fût là une supercherie, il eût fallu que la signature d'Apollinaire fût destinée à abuser le lecteur. Or les éditeurs de la collection où paraissaient ces livres savaient pertinemment que leur clientèle se souciait peu du nom de l'auteur. Ce qu'elle attendait de *la Fin de Babylone* ou de *la Rome des Borgia*, c'était simplement des descriptions de scènes d'orgie, des satrapes ou des cardinaux pourris de vices, des courtisanes mi-vêtues, des vierges forcées, des éphèbes bulgarisés et des ruffians. Dalize bâcla tout cela d'une plume rapide et négligente. Nul ne lui demandait davantage. Hors de l'entourage d'Apollinaire, il n'y eut personne pour pouffer en lisant dans *la Fin de Babylone* que le poète Dhi-Sor, endormi le flambeau à la main, avait « mis le feu à 18.000 papyrus, les *Lettres à un cavalier*, œuvres complètes de l'illustre Ramidegourmanzor » et pour reconnaître dans cet incendiaire des *Lettres à l'Amazone* de Remy de Gourmont le poète Jacques Dyssord, ami d'Apollinaire et de Dalize.

L'AMBIGUITÉ
DES « MAMELLES DE TIRÉSIAS »

Comme ses « poèmes-conversation », sa critique d'art et ses compilations pseudo-historiques, le théâtre d'Apollinaire procède de sa gaieté. En fait, en parlant de son théâtre, c'est seulement aux *Mamelles de Tirésias* que nous pensons, car, de ses deux autres essais dramatiques, l'un, *Couleur du Temps*, n'est guère qu'un poème dialogué, l'autre, *Casanova*, qu'un livret d'opéra écrit dans l'unique souci d'en tirer un peu d'argent et que sa médiocrité même ne distingue pas de la confection des librettistes professionnels.

Pour *les Mamelles de Tirésias*, « drame surréaliste » achevé en 1917 sur les instances amicales de Pierre Albert-Birot et porté aussitôt à la scène par les soins de ce dernier, on sera peut-être surpris, étant donné l'époque où il a vu le jour, que nous le rapprochions des pages les plus allègres d'Apollinaire. Deux raisons nous y incitent : la première, — et à notre avis la moins bonne, — est qu'Apollinaire présentait *les Mamelles de Tirésias* comme un ouvrage exaltant ; la seconde, que la conception de cette pièce nous paraît se situer vers la fin de l'année 1913 ou le début de 1914.

Certes, nous n'ignorons pas que l'auteur assignait à ces deux actes une date beaucoup plus ancienne ; nous savons que dans une lettre à M. Pierre Varenne il dit les avoir écrits en 1904 ; nous savons aussi que dans la préface qu'il y a ajoutée pour l'édition, il soutient qu'il les avait composés dès 1903 et que seuls le prologue et la dernière scène du deuxième acte sont de 1916 ; mais, malgré cela, notre sentiment reste que *les Mamelles de Tirésias* ne sont nullement contemporaines des contes qu'Apollinaire avait donnés à *la Revue Blanche* et au *Festin d'Ésope*, et que si l'auteur a dit sa pièce plus vieille qu'elle ne l'était, il y a été poussé par le souci, puéril peut-être mais compréhensible, de ne pas paraître distancé par Cocteau dans des recherches où il avait effectivement précédé celui-ci. Aux yeux du public qui ne regarde pas toujours de très près, l'auteur des *Mamelles de Tirésias* craignait fort de passer pour un épigone, la représentation de sa pièce, souvent différée pour des raisons matérielles, n'ayant pu être donnée qu'un mois après *Parade*, dont la nouveauté avait provoqué un certain tumulte.

Ce souci de ne pas faire figure de suiveur perce nettement dans la lettre qu'Apollinaire adressait à M. Pierre Varenne, en juin 1917, après avoir été joué, et où il se plaignait de la presse :

*Elle me reproche «*Parade*» quand il s'agit d'une pièce qui a douze ou treize ans de bouteille, que j'ai lue au printemps 1916 à plus de dix personnes. Et d'abord il n'y a aucun rapport entre ces deux spectacles, si j'ose dire* [1].

On sait que, dans le « drame surréaliste » d'Apollinaire, l'héroïne, Thérèse, s'exonérant avec facilité de ses rondeurs figurées par des oranges ou des ballons en baudruche, se mue en Tirésias, tandis que son mari perd l'accent belge et accouche lui-même de ses enfants. Ce scénario n'est certainement pas du conteur de 1904, et si nous inclinons à le dater au plus tôt de 1914, c'est qu'il se révèle bien proche de celui qu'on peut lire au chapitre IV du *Poète assassiné* et qui est censé raconter « *une pièce morale* », — comme les *Mamelles*, — jouée au Théâtre Français :

Au premier acte, une jeune femme que la chirurgie avait rendue stérile soignait la grossesse de son mari hydropique et fort jaloux. Le médecin s'en allait en disant :
« Un grand miracle et un grand dévouement pourront seuls le sauver. »
Au deuxième acte, la jeune femme disait au jeune médecin :
— Je me dévoue pour mon mari. Je veux devenir hydropique à sa place.

---

1. Lettre citée par Marcel Adéma dans *Guillaume Apollinaire le mal-aimé*, Plon, 1952, p. 235.

Trois acteurs des **Mamelles de Tirésias,** *photographiés en juin 1917 au cours des dernières répétitions, dans les costumes conçus par Serge Férat.*

— *Aimons-nous, Madame. Si nous n'êtes pas impropre à la maternité, votre souhait sera rempli. Et quelle douce gloire j'en tirerai !*

— *Hélas ! murmurait la dame, je n'ai plus d'ovaires.*

— *L'amour, s'écriait alors le docteur, l'amour, Madame, est capable de faire bien des miracles.*

Au troisième acte, <u>le mari mince comme un i</u> et la dame enceinte de huit mois se félicitaient de l'échange qu'ils avaient fait. Le médecin communiquait à l'Académie de médecine le résultat de ses travaux sur la fécondation des femmes devenues stériles à la suite d'opérations chirurgicales.

Sous le titre *Dramaturgie, le Poète assassiné* comporte encore tout un chapitre, où les variétés habituelles de la littérature dramatique des années 13 et 14 se trouvent définies dans des résumés parodiques, dont l'humour percutant participe à la fois de Jarry et de Loyson-Bridet :

Pièce à thèse. — *Le prince de San Meco trouve un pou sur la tête de sa femme, il lui fait une scène. La princesse n'a couché depuis six mois qu'avec le vicomte de Dendelope. Les époux font une scène au vicomte qui, n'ayant couché qu'avec la princesse et Mme Lafoulue, femme d'un secrétaire d'État, fait tomber le ministère et accable Mme Lafoulue de son mépris.*

Mme Lafoulue fait une scène à son mari. Tout s'explique lorsqu'arrive M. Bibier, député. Il se gratte la tête. On le dépouille. Il accuse ses électeurs d'être des pouilleux. Finalement tout rentre dans l'ordre. Titre : Le Parlementarisme.

Comédie de caractère. — *Isabelle Lefaucheux promet à son mari de lui être fidèle. Elle se souvient alors d'avoir promis la même chose à Jules, garçon de la boutique. Elle souffre de ne pouvoir accorder sa foi et son amour.*

Cependant, Lefaucheux met Jules à la porte. Cet événement détermine le triomphe de l'amour et nous retrouvons Isabelle caissière dans un grand magasin où Jules est commis. Titre : Isabelle Lefaucheux.

Devant la parfaite inanité de la plupart des pièces qu'il avait pu voir jouer avant 1914 et devant l'ineptie des comptes rendus qu'il en avait trouvés dans la presse, on conçoit qu'Apollinaire ait eu la tentation de battre en brèche un tel théâtre ; mais il est douteux qu'il soit allé au-delà d'un canevas ou du brouillon d'une ou deux scènes. Si les deux actes des *Mamelles de Tirésias* avaient été écrits en 1903 ou même en 1913, aurait-il borné aux deux lignes que voici sa réponse à Madeleine qui l'interrogeait sur ses travaux :

Oui, je voudrais aussi faire des pièces de théâtre. Vous m'en ferez faire [1].

Sans parler de quelques détails (allusions aux Ballets Russes, au Vieux-Colombier, à la peinture de Braque) qui n'auraient pu figurer dans un texte de 1903, le style même des *Mamelles de Tirésias* n'appartient pas à une période lointaine de la vie d'Apollinaire. Les répliques de Thérèse :

Vous l'entendez il ne pense qu'à l'amour
Mange-toi les pieds à la Sainte-Menehould

sont d'une écriture qui les apparente aux premiers poèmes de *Calligrammes*, et notre conviction est que, dans son ensemble, la pièce, où ont peut-être été fondues quelques pages rédigées deux ou trois ans auparavant, n'a été véritablement composée qu'en 1916. Le canevas initial, s'il y a eu deux canevas, devait avoir retenu quelque chose de l'échange de dimensions que font le mari hydropique et l'épouse brehaigne dans le passage du *Poète assassiné* que nous avons cité plus haut, mais les avantages de la repopulation n'y étaient à coup sûr ni débattus ni même évoqués. Ce sujet-là porte sa date ; la presse l'avait abordé après les premières hécatombes de 1915 et la propagande officielle s'était attachée à le vulgariser dès qu'avait été décidée l'institution, pour les combattants de la tranchée, d'un système de permissions de détente de dix jours qui devait les ramener une ou deux fois par an à l'alcôve.

Dans sa préface à l'édition des *Mamelles de Tirésias* imprimée en janvier 1918, Apollinaire insiste curieusement sur la portée sociale qu'aurait sa pièce, jouée alors une seule fois en représentation exceptionnelle :

J'ai écrit mon drame surréaliste avant tout pour les Français comme Aristophane composait ses comédies pour les Athéniens.
Je leur ai signalé le grave danger reconnu de tous qu'il

---

1. Cf. *Tendre comme le souvenir*, p. 113, lettre du 2 septembre 1915.

y a pour une nation qui veut être prospère et puissante à ne pas faire d'enfants, et pour y remédier je leur ai indiqué qu'il suffisait d'en faire.

En 1915 déjà, écrivant du front à Madeleine à qui il venait de se fiancer, il la félicitait d'appartenir à une famille nombreuse et ajoutait : « *Nous tâcherons, nous aussi, d'avoir beaucoup d'enfants*[1] », mais le contexte n'excluait pas que ce fût là une précaution oratoire, destinée à faire admettre certaines considérations sur la légitimité des artifices par lesquels l'amour conjugal peut éviter la satiété.

En 1918, la gravité inattendue de sa préface incite à penser qu'Apollinaire y bouffonne, et lorsqu'on l'entend exposer avec le plus grand sérieux que l'usage des préservatifs est moins répandu en France qu'à Berlin, on ne doute plus que la cocasserie de ses aperçus démographiques n'ait été préméditée. En feignant d'apporter à la propagande officielle pour la natalité le renfort d'un drame surréaliste qui se passe à Zanzibar et où l'homme perpétue lui-même sa lignée, il ne laisse pas de tourner cette propagande en dérision. Lorsqu'on voit le mari de Tirésias faire le calcul suivant :

Eh oui c'est simple comme un périscope
Plus j'aurai d'enfants
Plus je serai riche et mieux je pourrai me nourrir
Nous disons que la morue produit assez d'œufs en un jour
Pour qu'éclos ils suffisent à nourrir de brandade et d'aïoli
Le monde entier pendant une année entière
N'est-ce pas que c'est épatant d'avoir une nombreuse famille
Quels sont donc ces économistes imbéciles
Qui nous ont fait croire que l'enfant
C'était la pauvreté
Tandis que c'est tout le contraire
Est-ce qu'on a jamais entendu parler de morue morte dans
                                                    [la misère
Aussi vais-je continuer à faire des enfants[2]

on constate que l'auteur amuse, on n'imagine point qu'il veuille convaincre. Aussi est-on quelque peu ébahi de ren-

---

1. Cf. *Tendre comme le souvenir*, p. 77, lettre du 3 août 1915.
2. *Les Mamelles de Tirésias*, acte II, scène III.

contrer, non plus dans une préface que l'on tenait pour narquoise, mais dans une lettre à un ami, des phrases où Apollinaire déplore que la presse tienne « à déblatérer contre une pièce qui tente de changer l'esprit du pays et de le décider à se repeupler ». Sauf à considérer qu'en s'exprimant de la sorte Apollinaire ait voulu mystifier son correspondant, on en vient à se demander si, en 1917, sa blessure et sa trépanation laissaient encore intacte la conscience qu'il avait de lui-même et de son art.

Gravure sur bois de Henri Matisse,
illustrant le programme pour la
représentation des Mamelles de Tirésias.

La Plante

Aux frontières de la vie, Cyprienne ~~Vandu~~
vivait sur ces confins de l'instinct qu'
illumine à peine un petit soleil
momentané, ~~aussi~~ triste comme l'étoile
solitaire au ciel presque couvert
d'un soir d'orage.

Cyprienne Vandur avait de la grâce et
le don ~~transforme en chiffon en merveilles~~ de l'élégance qui
~~mais~~ ~~coupable en semant partout et colorir~~
~~se désintéressement~~ usait sa vie jour

après jour et la jeunesse, peu à peu,
lui tombait ainsi que dans les vergers
~~remuent~~ les pétales ~~s'envolent~~ quand le
printemps défleurit.

Riait-elle ? on sentait bien qu'elle
ne se doutait pas de la tristesse qui
l'enveloppait. ~~Et~~ Il semblait qu'
elle eût à peine conscience des
souvenirs qui ~~la~~ la rattachaient à
l'humanité. souvenirs! c'était
~~Dans sa mémoire il y~~
~~avait~~ dans un tout petit village, ~~et~~ le bruit
des fléaux frappant en cadence sur
l'aire à battre le blé (car les machines
américaines y étaient encore
inconnues,) il y avait une pauvre
c'était
église et de douces paroles, des
croyances qui s'effaçaient l'une
emboîtaient

LES DERNIÈRES PAGES

Est-il demeuré jusqu'à la fin égal à lui-même ? On hésite avant de dire non, et pourtant les derniers travaux d'Apollinaire n'autorisent pas une autre réponse. Il est vrai que certains d'entre eux n'étaient pas achevés quand il est mort, et, des deux manuscrits qu'il a laissés de *la Femme assise* par exemple, aucun peut-être ne le satisfaisait. Au surplus, Apollinaire n'était pas romancier le moins du monde, et il est possible, pour ne pas dire probable, que la confection de cet ouvrage, promis aux éditeurs Pereira et Variot et annoncé dans leur catalogue, n'ait été pour lui qu'un pensum imposé par la nécessité.

Apollinaire avait pourtant projeté maintes fois d'écrire un roman, ne fût-ce que pour mesurer l'étendue de ses dons, mais il n'est jamais venu à bout de cette entreprise. Sans doute y serait-il arrivé en montrant davantage de persévérance, mais l'on peut douter que le résultat eût payé l'effort qu'il eût fallu faire. Apollinaire, qui savait voir et décrire, n'avait pas, comme le véritable romancier, la faculté de s'oublier au point de ne plus vivre que de la vie de ses personnages. Né conteur, il a pu évoquer avec charme beaucoup de gens, de lieux et de situations, mais il n'a vraiment exprimé que lui. Aussi, dès ses premiers écrits, s'est-il naturellement trouvé poète. Quand il a tenté de faire le roman que ses éditeurs successifs lui demandaient, c'est en vain qu'il s'est battu les flancs. Que d'essais pourtant n'a-t-il pas faits, et encore nous ne les connaissons pas tous ! D'abord un roman sur la fin du monde, dont quelques bribes, après corrections, ont été incorporées au *Poète assassiné*, puis un roman sur les Mormons, puis *les Clowns d'Elvire ou les caprices*

La première page d'un conte d'Apollinaire, publié en 1924 dans la revue L'Esprit nouveau *et en 1928 dans une plaquette intitulée* Les Épingles.

de Bellone, dont le texte s'est retrouvé, avec celui des Mormons, dans le manuscrit de *la Femme assise,* où sont encore venues les rejoindre des chroniques données autrefois à la rubrique anecdotique du *Mercure de France* [1]. On imagine l'olla-podrida qu'a pu donner l'addition d'éléments aussi hétérogènes, et le luxe d'artifices qu'il eût fallu déployer pour les lier de façon satisfaisante. Aussi bien *la Femme assise* ne les a-t-elle pas liés du tout. L'ouvrage se disperse en tous sens, et avec lui l'attention du lecteur. On devine, de chapitre en chapitre, qu'Apollinaire a farci son travail d'anecdotes ou de traits provenant de ses amis ou d'habitués de Montparnasse ; on salue au passage des figures aperçues autrefois dans d'autres livres ou dans des articles ; on subodore que Pablo Canouris, « le peintre aux mains bleu céleste », né à Malaga comme Picasso, a dû emprunter quelque détail à son confrère et compatriote, et que Moïse Deléchelle, « homme couleur de cendre, dont le corps, en toutes ses parties, est musical », s'est référé, pour le choix de son nom, à l'échelle de Jacob ou plutôt de Max Jacob. Mais malgré leur variété, aucun des mets disparates que *la Femme assise* a réchauffés dans le même fait-tout ne contente le palais. Sans doute leur réunion répond-elle assez bien aux principes que soutenait jadis le cuisinier Maincave, partisan des associations de salé et de sucré, de dur et de fondant, de bouillant et de glacé, mais le goût commun est ainsi fait que ni les théories culinaires de Maincave ni leur application à l'art du roman n'ont jusqu'ici prévalu.

Telle qu'elle se présente, *la Femme assise* ne saurait pourtant, à elle seule, entraîner la conviction qu'Apollinaire, dans sa dernière année, eût sensiblement faibli, puisque ses dons n'avaient jamais été ceux d'un romancier. La conférence qu'il fit en novembre 1917 au Vieux-Colombier sur « l'esprit nouveau », et le texte corrigé qu'il en remit un peu plus tard au *Mercure de France,* donnent davantage à réfléchir et à regretter.

Jusqu'en 1914 Apollinaire avait compté peu de véri-

---

1. A cette énumération de romans avortés peut être ajoutée *la Dame des Hohenzollern* qu'Apollinaire avait promise à MM. Briffaut, éditeurs du *Poète assassiné.* Le succès du *Kœnigsmark* de Pierre Benoit avait, semble-t-il, incité Apollinaire à écrire, lui aussi, un roman d'aventures ayant l'Allemagne pour cadre.

tables admirateurs, mais avec les premières années de guerre il avait vu venir à lui de jeunes poètes, et les petites revues que publiaient ceux-ci lui avaient d'emblée accordé la première place. A *Sic*, que dirigeait Pierre Albert-Birot,

Couverture du programme pour la représentation des *Mamelles de Tirésias* au théâtre Renée Maubel, rue de l'Orient, à Montmartre.

à *Nord-Sud*, que Pierre Reverdy fit paraître à partir de mars 1917, Apollinaire était le grand homme, et pour discutée que fût ailleurs cette gloire, elle ne laissait pas de croître continûment. Dès son premier numéro, *Nord-Sud* se réclamait hautement de lui : « Naguère, les jeunes poètes allèrent trouver Verlaine pour le tirer de l'obscurité. Quoi d'étonnant que nous ayons jugé le moment venu de nous grouper autour de Guillaume Apollinaire ? Plus que quiconque aujourd'hui il a tracé des routes neuves, ouvert de nouveaux horizons. Il a droit à toute notre ferveur, toute notre admiration. »

Sans doute la phalange apollinarienne n'était-elle pas encore très nombreuse ; le bellicisme du lieutenant de Kostrowitzky éloignait d'ailleurs d'elle quelques jeunes gens qui, sans cela, eussent volontiers porté les couleurs du poète. Mais les sectateurs d'Apollinaire, s'ils ne formaient pas une foule, dépensaient assez d'ardeur pour que le nom de leur maître fût désormais cité un peu partout.

Apollinaire obtenait la consécration qu'il avait souhaitée. L'assurance à la Malherbe que lui donnait la déférence dont il se voyait entouré s'exprime sans ambages dans le plus long des poèmes de *Calligrammes*, *les Collines* :

> *Où donc est tombée ma jeunesse*
> *Tu vois que flambe l'avenir*
> *Sache que je parle aujourd'hui*
> *Pour annoncer au monde entier*
> *Qu'enfin est né l'art de prédire*
> . . . .
> *Je dis ce qu'est au vrai la vie*
> *Seul je pouvais chanter ainsi*
> *Mes chants tombent comme des graines*
> *Taisez-vous tous vous qui chantez*
> *Ne mêlez pas l'ivraie au blé.*

Quoique ce poème soit entièrement écrit en vers de huit pieds arrangés en quintils, les accents qui s'en dégagent ne rappellent aucunement la mélodie des strophes d'*Alcools* composées de la même façon. Ils n'ont plus rien de villonesque, et ils sont même éloquents. A les lire, on conçoit que, parmi les gens qui ont fréquenté Apollinaire, ceux qui ne l'ont approché qu'en 1917 aient pu le trouver exempt d'inquiétude. « Apollinaire doutait peu », écrit M. Philippe Soupault [1], à qui l'on ne saurait reprocher de céder à l'impression directe qu'il a reçue du poète, plutôt qu'à celle que laissent certains poèmes d'*Alcools*, — *Zone*, par exemple, — où Apollinaire n'apparaît nullement pétri de certitude.

Dans sa conférence de novembre 1917 sur « l'esprit nouveau », l'assurance d'Apollinaire s'affirme. Il se pose en théoricien. Au printemps précédent, il avait déjà, dans une préface à Baudelaire, commenté *les Fleurs du Mal* d'une manière sentencieuse et maladroite qui prêtait à la réfutation. La critique littéraire n'était pas son fort. Son goût était généralement meilleur que les raisons par

---

1. Cf. *Guillaume Apollinaire ou Reflets de l'incendie*. Marseille, Édit. des Cahiers du Sud, 1927.

lesquelles il lui arrivait de le justifier. Aussi sa sagesse et ses dons s'étaient-ils longtemps accordés pour le détourner des théories. Il avait bien eu la faiblesse de publier en 1913 un manifeste futuriste, mais il s'était assez vite repris. Manifeste amusant, au demeurant, que l'on aurait pu croire d'un collégien, et qui disait merde à Eschyle, à Dante, à Shakespeare, à Edgar Poe, à Baudelaire, tandis

que des roses y étaient offertes à Picasso et à Boccioni, à Paul Fort et à Valentine de Saint-Point, au dessinateur Depaquit et à Mme Aurel, etc., etc. On avait ri à la fois du manifeste et du manifestant, lequel devait expliquer ensuite que, loin de vouloir décrier les anciens, il avait seulement tenu à revendiquer avec éclat la liberté de ne pas les imiter.

Sans ses jeunes admirateurs de 1917 Apollinaire ne se fût peut-être pas mêlé de définir ce qu'il nomme au printemps, dans sa préface à Baudelaire, « l'esprit moderne », et à l'automne, dans sa conférence, « l'esprit nouveau ». Mais le succès, si modeste soit-il, s'accompagne de servitudes qu'il n'est pas toujours aisé de repousser et dont Apollinaire ne semble pas avoir mesuré tout le danger. Au café de Flore, il voyait avec plaisir ses disciples se presser autour de lui, et il pontifiait quelque peu. Sa conférence sur « l'esprit nouveau » reprend ses propos de café, mais en les mettant en forme elle en accuse la faiblesse. On est gêné d'entendre le poète dire sur la scène du Vieux-Colombier :

L'esprit nouveau qui s'annonce prétend avant tout hériter des classiques un solide bon sens, un esprit critique assuré, des vues d'ensemble sur l'univers et dans l'âme humaine, et le sens du devoir qui dépouille les sentiments et en limite ou plutôt en contient les manifestations [1].

Est-ce encore Apollinaire qui parle ? Se serait-il laissé envahir par M. Prudhomme ? Les truismes ne manquent pas dans son éloge de « l'esprit nouveau ».

Jusqu'à maintenant, le domaine littéraire était circonscrit dans d'étroites limites. On écrivait en prose ou l'on écrivait en vers. [...] L'assonance, l'allitération, aussi bien que la rime sont des conventions qui chacune a ses mérites.

L'idéogramme qu'Apollinaire poète s'apprête en ce temps-là à introduire dans *Calligrammes* a beau avoir été pratiqué de tout temps depuis Simmias de Rhodes et Porphyrius, — à en croire Apollinaire théoricien, le recours à ce jeu inoffensif constitue un événement d'une portée considérable :

Les artifices typographiques poussés très loin avec une grande audace ont l'avantage de faire naître un lyrisme visuel qui était presque inconnu avant notre époque. Ces artifices peuvent aller très loin encore et consommer la synthèse des arts, de la musique, de la peinture et de la littérature.

---

1. Cf. *Mercure de France*, 1ᵉʳ décembre 1918. Le texte de cette conférence a été publié en plaquette par les soins de M. Marcel Adéma (Éditions Jacques Haumont, 1946).

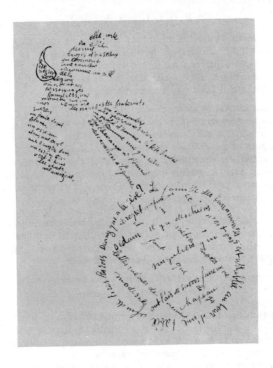

Grand amateur des *Bigarrures* de Tabourot des Accords, Apollinaire devait pourtant savoir mieux que personne que la synthèse qu'il annonçait avait donné depuis cinq siècles les rébus de Picardie, et qu'elle ne ressortit pas plus à la poésie que les bouts-rimés, les palindromes et les logogriphes. Sans le moins du monde lui imputer à crime l'amusement qu'il a pris à ses idéogrammes, on peut s'étonner qu'il ait parlé de ces fantaisies comme s'il se fût agi de merveilles. Donner la forme d'une bouteille aux mots

Petite bouteille où monsieur Baty conserve l'antique nectar

n'améliore ni le vin de Baty ni sa définition, et eût-on disposé en forme de croix ou de luth les strophes de *la Chanson du Mal Aimé*, elles n'en auraient pas été moins bonnes, mais seulement d'une lecture plus difficile.

Ce serait toutefois manquer de probité que de laisser croire qu'Apollinaire ait bêtifié tout au long de sa conférence. Les allusions qu'il y a faites à l'humour de Jarry ou à la poésie irrévérencieuse de Max Jacob sont d'une justesse qui n'était pas encore banale en 1917 :

Nous avons vu aussi depuis Alfred Jarry le rire s'élever des basses régions où il se tordait et fournir au poète un lyrisme tout neuf. Où est le temps où le mouchoir de Desdémone paraissait d'un ridicule inadmissible ? Aujourd'hui, le ridicule même est poursuivi, on cherche à s'en emparer et il a sa place dans la poésie, parce qu'il fait partie de la vie au même titre que l'héroïsme et tout ce qui nourrissait jadis l'enthousiasme des poètes.

Ce qu'Apollinaire a dit de la surprise considérée par lui comme l'élément principal de « l'esprit nouveau » se rapproche fort du principe baudelairien selon lequel le beau est toujours bizarre. Quand il déclare :

L'esprit nouveau est également dans la surprise. C'est ce qu'il y a en lui de plus vivant, de plus neuf

il reprend, en l'affaiblissant, la démonstration de Baudelaire qu'il eût paraphrasée de façon plus heureuse s'il avait substitué ici le mot *art* à cet *esprit nouveau* qui était devenu sa muscade et qu'il mettait partout.

La naïveté des conclusions de sa conférence décourage la critique :

Ils [les poètes] veulent enfin, un jour, machiner la poésie comme on a machiné le monde. Ils veulent être les premiers à fournir un lyrisme tout neuf à ces nouveaux moyens d'expression qui ajoutent à l'art le mouvement et qui sont le phonographe et le cinéma. Ils n'en sont encore qu'à la période des incunables. Mais attendez, les prodiges parleront d'eux-mêmes et l'esprit nouveau, qui gonfle de vie l'univers, se manifestera formidablement dans les lettres, dans les arts et dans toutes les choses que l'on connaisse.

Hugo eût peut-être dit la même chose, — en trois ou quatre antithèses. Mais la religion du progrès qui inspire confusément ce genre de pétitions aura toujours quelque chose de consternant. Ni la qualité de la poésie ni le prix qu'on y attache ne sauraient dépendre des techniques.

Peu importe que l'invention de Gutenberg se soit produite entre Rutebeuf et Villon ; elle n'a pas fait défaut à la poésie du premier et, malgré la typographie, le second ne s'est pas soucié de « machiner » la sienne.

Par bonheur pour Apollinaire, le théoricien n'a jamais étouffé en lui le poète, et celui-ci, qui s'écriait dans le dernier poème d'*Alcools* :

Hommes de l'avenir souvenez-vous de moi [1]

a fait encore entendre dans les derniers poèmes de *Calligrammes* des accents qui n'auront jamais besoin de l'aiguille ou de l'écran pour nous toucher :

La mer qui a trahi des matelots sans nombre
Engloutit mes grands cris comme des dieux noyés
Et la mer au soleil ne supporte que l'ombre
Que jettent des oiseaux les ailes éployées

La parole est soudaine et c'est un Dieu qui tremble
Avance et soutiens-moi je regrette les mains
De ceux qui les tendaient et m'adoraient ensemble
Quelle oasis de bras m'accueillera demain
Connais-tu cette joie de voir des choses neuves [2]

Selon notre humeur, la radio ou le disque peuvent nous excéder, mais comment s'irriterait-on de retrouver dans sa mémoire ces vers qu'il vaut mieux n'abandonner à aucun interprète et sur lesquels s'achève le dernier livre qu'Apollinaire ait corrigé :

Mais riez riez de moi
Hommes de partout surtout gens d'ici
Car il y a tant de choses que je n'ose vous dire
Tant de choses que vous ne me laisseriez pas dire
Ayez pitié de moi [3].

---

1. *Alcools*, Vendémiaire.
2. *Calligramme*, La Victoire.
3. *Id.*, La Jolie Rousse.

Gravure sur bois de Dufy pour Le Bestiaire ou Cortège d'Orphée.

Bibliographie

OUVRAGES DE GUILLAUME APOLLINAIRE

LA POÉSIE SYMBOLISTE, trois entretiens sur les temps héroïques (période symboliste) au Salon des Artistes Indépendants, par Paul-Napoléon Roinard, Victor-Émile Michelet et Guillaume Apollinaire. Paris, *l'Édition* 1908. (Recueil de conférences données en 1908 au Salon des Indépendants. Celle d'Apollinaire a pour titre : *la Phalange nouvelle*.)

L'ENCHANTEUR POURRISSANT, illustré de gravures sur bois par André Derain. Paris, *Henry Kahnweiler*, 1909. — Nouvelle édition illustrée reproduisant en réduction les bois gravés pour l'édition originale. Paris, *Éditions de la Nouvelle Revue Française*, 1921.

L'HÉRÉSIARQUE ET CIE. Paris, *P. V. Stock*, 1910. — Édition de luxe illustrée de pointes sèches par Mario Prassinos. Paris, *Éditions Stock*, 1945. — Édition avec préface et notes de Pascal Pia. Paris, Club Français du Livre, 1954. — Quelques-uns des contes de *l'Hérésiarque et Cie* ont formé le petit recueil de *Contes choisis* de Guillaume Apollinaire, publié dans la collection « les Contemporains ». Paris, *Librairie Stock*, 1922.

LE THÉÂTRE ITALIEN, préface de Ugo Capponi avec une étude sur le théâtre italien en France par Charles Simond. Paris, *Louis-Michaud*, 1910.

LE BESTIAIRE OU CORTÈGE D'ORPHÉE, illustré de gravures sur bois par Raoul Dufy. Paris, Deplanche, 1911. — Nouvelle édition reproduisant en réduction les bois gravés pour l'édition originale. Paris, *Éditions de la Sirène*, 1919. — Nouvelle édition reproduisant en réduction les bois gravés de l'édition originale, plus les épreuves des différents états de ces gravures. Monaco, *les Fermiers généraux*, 1956. — *Supplément au Bestiaire ou Cortège d'Orphée*, illustré de gravures sur bois par Raoul Dufy. Paris, aux dépens d'un amateur, 1931. (Ce supplément donne deux petits poèmes libres que l'auteur n'avait pas fait figurer dans son *Bestiaire*.)

CHRONIQUE DES GRANDS SIÈCLES DE LA FRANCE. Pages d'histoire. Vincennes, *les Arts graphiques*, 1912. — Nouvelle édition de cette compilation destinée à la jeunesse : London and Edinburgh, *T. C. et E. C. Jack*, 1913.

MÉDITATIONS ESTHÉTIQUES. LES PEINTRES CUBISTES, avec 46 portraits et reproductions. Paris. *Eugène Figuière*, 1913. — Nouvelle édition, avec 32 reproductions. Paris, *Éditions Athéna*, 1922. — Nouvelle édition. Genève, *Pierre Cailler*, 1950.

ALCOOLS, poèmes, 1898-1913, avec un portrait de l'auteur par Pablo

Picasso. Paris, *Mercure de France*, 1913. — Nouvelle édition. Paris, *Éditions de la Nouvelle Revue Française*, 1920. — Nouvelle édition. Lausanne, l'Abbaye du Livre, 1946. — Édition d'*Alcools* suivi de *Vitam impendere amori*, illustrée de dessins de Picasso. Lausanne. *Mermod*, 1950. — Édition accompagnée de reproductions d'épreuves de l'édition originale corrigées par l'auteur et d'un commentaire de Tristan Tzara. Paris, *Club du Meilleur Livre*, 1953. — Édition de luxe illustrée de gravures sur cuivre par Élisabeth Gross. Paris, *Maurice Darantière*, 1955.

L'ANTITRADITION FUTURISTE, manifeste. Milan, *Direction du Mouvement futuriste*, 1913. Placard de 46 × 59 cm.

LA ROME DES BORGIA. Paris, *Bibliothèque des Curieux*, 1913. (Ouvrage signé par Apollinaire, mais dû surtout à la plume de son ami René Dalize.)

LA FIN DE BABYLONE. Paris, *Bibliothèque des Curieux*, 1914. (Même observation que pour l'ouvrage précédent.)

LES TROIS DON JUAN. Paris, *Bibliothèque des Curieux*, 1914.

CASE D'ARMONS. Aux Armées de la République, 1915. (Édition polygraphiée, tirée à la gélatine, de quelques poèmes repris plus tard dans *Calligrammes*.)

LE POÈTE ASSASSINÉ, avec un portrait de l'auteur par André Rouveyre, couverture illustrée par Cappiello. Paris, *l'Édition*, 1916. — Édition de luxe illustrée de lithographies par Raoul Dufy. Paris, *Au Sans Pareil*, 1926. (Cette édition ne comporte que la première des nouvelles qui composent le recueil de 1916.) — Nouvelles éditions : Paris, *Au sans Pareil*, 1927 ; *Gallimard*, 1945.

VITAM IMPENDERE AMORI, dessins d'André Rouveyre. Paris, *Mercure de France*, 1917.

LES MAMELLES DE TIRÉSIAS, drame surréaliste en deux actes et un prologue, musique de Germaine Albert-Birot, dessins de Serge Férat. Paris, *Éditions Sic*, 1918. — Nouvelle édition, avec six portraits par Picasso, Paris, *Éditions du Bélier*, 1946.

CALLIGRAMMES, poèmes de la paix et de la guerre, 1913-1916, avec un portrait de l'auteur par Pablo Picasso. Paris, *Mercure de France*, 1918. — Nouvelle édition : Paris, *Éditions de la Nouvelle Revue Française*, 1925. — Édition de luxe, lithographies de Georges de Chirico. Paris, *Gallimard*, 1930. — Édition illustrée de dessins de Roger de La Fresnaye. Lausanne, *Mermod*, 1952. — Édition présentée et annotée par Michel Decaudin, augmentée de reproductions de calligrammes manuscrits. Paris, *Club du Meilleur Livre*, 1955.

LE FLANEUR DES DEUX RIVES. Paris, *Éditions de la Sirène*, 1918. — Nouvelle édition. Paris, *Éditions de la Nouvelle Revue Française*, 1928. — Édition illustrée de bois en couleurs par N. Noël. Paris, *la Nouvelle Société d'Éditions*, 1945.

LA FEMME ASSISE. Paris, *Éditions de la Nouvelle Revue Française*, 1920. — Nouvelle édition d'après une autre version du même ouvrage. Paris, Gallimard, 1948.

IL Y A, préface de Ramon Gomez de la Serna. Paris, *Albert Messein*, 1925. — Nouvelle édition. Paris, *Messein*, 1949. — Édition illustrée

Litho de Raoul Dufy pour Le Poète assassiné.

par Édouard Goerg, préface de Paul Léautaud. Paris, *Grégoire*, 1947. (Cette édition ne reproduit que les poèmes réunis dans l'édition Messein, laquelle comporte également des textes en prose.)

ANECDOTIQUES. Paris, *Librairie Stock*, 1926. (Cet ouvrage rassemble les chroniques publiées par Apollinaire dans le *Mercure de France* sous la rubrique de « La Vie anecdotique », à l'exception de celles que l'auteur avait déjà groupées dans le *Flâneur des Deux Rives*, et de *Giovanni Moroni*, qu'il a repris dans le *Poète assassiné*.) — Nouvelle édition, préface et notes de Marcel Adéma, Paris, *Gallimard*, 1955.

LES ÉPINGLES, contes, introduction de Philippe Soupault. Paris, *Éditions des Cahiers libres*, 1928.

CONTEMPORAINS PITTORESQUES, avec un portrait de l'auteur par Picasso. Paris, *Éditions de la Belle Page*, 1929.

CHOIX DE POÉSIES. Introduction by C. M. Bowra. London, *Horizon*, 1945.

L'ESPRIT NOUVEAU ET LES POÈTES. Paris, *Jacques Haumont*, 1946.

OMBRE DE MON AMOUR, poèmes. Genève, *Pierre Cailler*, 1947. — Édition des mêmes poèmes reproduits en fac-similé, sous le titre de POÈMES A LOU, avec deux textes d'André Rouveyre, Genève, *Pierre Cailler*, 1955.

LETTRES A SA MARRAINE, 1915-1918, introduction et notes de Marcel Adéma. Paris, *pour les Fils de roi*, 1948. — Nouvelle édition, Paris, *Gallimard*, 1951.

INÉDITS. Bruxelles, *Éditions Un Coup de dés*, 1948 (plaquette tirée à 30 exemplaires).

COULEUR DU TEMPS, drame en trois actes et en vers. Paris, *Éditions du Bélier*, 1949.

POÈMES SECRETS A MADELEINE. Paris, hors commerce, 1949.

LETTRES A JANE MORTIER. Liège, *Éditions Dynamo*, 1950 (plaquette tirée à 51 exemplaires).

TENDRE COMME LE SOUVENIR, lettres à Madeleine. Paris, *Gallimard*, 1952.

CASANOVA, comédie parodique, préface de Robert Mallet. Paris, *Gallimard*, 1952.

LE GUETTEUR MÉLANCOLIQUE, poèmes, préface d'André Salmon, frontispice de Picasso. Paris, *Gallimard*, 1952.

TEXTES INÉDITS, introduction de Jeanine Moulin. Genève, *Droz*, 1952.

AIRELLES. Liège, *Éditions Dynamo*, 1954 (plaquette tirée à 51 exemplaires).

LA SUITE DE CENDRILLON OU LE RAT ET LES SIX LÉZARDS. Liège, *Éditions Dynamo*, 1955 (plaquette tirée à 51 exemplaires).

LETTRES A LOU, avec une introduction d'André Rouveyre et un frontispice de Henri Matisse. Genève, *Pierre Cailler*, 1955, deux vol. petit in-4º en feuilles, sous chemise et étui. Édition, détruite après tirage, des lettres, cartes et billets de Guillaume Apollinaire à Mme de Coligny. Quelques exemplaires seulement ont échappé à la destruction.

ŒUVRES POÉTIQUES. Texte établi et annoté par Marcel Adéma et Michel Decaudin, préface d'André Billy. Paris, *Bibliothèque de la Pléiade*, 1956.

INTRODUCTIONS ET NOTICES D'APOLLINAIRE
AUX OUVRAGES ÉDITÉS
PAR LA BIBLIOTHÈQUE DES CURIEUX

L'Œuvre du marquis de Sade, 1909. — L'Œuvre du divin Arétin, deux vol., 1909-1910. — L'Œuvre du chevalier Andréa de Nerciat, trois vol., 1910-1912. — L'Œuvre du patricien de Venise Giorgio Baffo, 1910. — L'Œuvre libertine des Conteurs italiens, deux vol., 1910. — L'Œuvre de John Cleland : *Mémoires de Fanny Hill*, 1910. — L'Œuvre du comte de Mirabeau, 1910. — L'Œuvre libertine des poètes du XIXe siècle, pièces recueillies par Germain Amplecas, 1910. — *Le Canapé couleur de feu*, histoire galante, par Fougeret de Montbron, suivie de *la Belle sans chemise ou Ève ressuscitée*, 1910. — *Souvenirs d'une cocodette* écrits par elle-même, 1910. — *Julie philosophe ou le Bon Patriote*, deux vol., 1910. — *Le Joujou des Demoiselles. Le Calembourg en action*, 1910. — *Un été à la campagne*, 1910. — *Le Petit Neveu de Grécourt*, 1910. — L'Œuvre de Crébillon le fils : *Tableaux des mœurs du temps*, suivis de l'*Histoire de Zaïrette*, par J. Le Riche de la Popelinière, 1911. — *Dialogue du Zoppino, devenu frère, et Ludovic putassier*, 1911. — *Tariffa delle Puttane di Venegia*, 1911. — L'Œuvre badine de l'abbé de Grécourt, 1912. — L'Œuvre de Francisco Delicado : *La Lozana Andaluza*, 1912. — *Le Parnasse Satyrique du XVIIIe siècle*, 1912. — L'Œuvre de Pierre Corneille Blessebois, 1912. — V. Jos. Ét. de Jouy, *La Galerie des Femmes*, 1912. — L'Œuvre des Conteurs allemands : *Mémoires d'une chanteuse allemande*, 1913. — Contes de Vasselier, 1913. — *La Philosophie des Courtisanes*, 1913. — Guiard de Servigné, *Les Sonnettes ou Mémoires de Monsieur le Marquis d'****, 1913. — *Histoire de Mlle Brion, dite comtesse de Launay*, 1913. — L'Œuvre poétique de Charles Baudelaire, 1917.

PRÉFACES ET INTRODUCTIONS A DIVERS OUVRAGES

Georges Turpin : *Parcelles de cœurs et feuilles mortes*, poèmes, préface de Guillaume Apollinaire. Paris, *l'Édition*, 1910.

Les plus belles pages de l'Arétin, notice de Guillaume Apollinaire. Paris, *Mercure de France*, 1912.

Élise Aubry : *L'Albanie et la France*, préface de Guillaume Apollinaire. Paris, *Éditions du Journal la France*, 1917.

Pierre Albert-Birot : 31 *poèmes de poche*, poème préface prophétie de Guillaume Apollinaire. Paris, *Éditions Sic*, 1917.

Luigi Amaro : *Élégie héroïque pour la mort de Galliéni*, poème liminaire de Guillaume Apollinaire. Roma, ab urbe condita, anno MMDCLXXI [1918].

René Dalize : *Ballade du pauvre macchabée mal enterré*, poème orné de six bois par André Derain, suivi de deux souvenirs de Guillaume Apollinaire et André Salmon, 1919.

J. M. Junoy : *Poèmes i Cal'ligrames*, amb un prefaci de Guillaume Apollinaire. Barcelona, Llibreria Nacional Catalana, 1920.

Remy de Gourmont : *Des pensées inédites*, avec 18 dessins de Raoul Dufy et une préface de Guillaume Apollinaire, 1920.

Quarante sonnets de Michel-Ange, traduits par Émile Bernard, préface de Guillaume Apollinaire. Bruxelles, *Éditions de la Nouvelle Revue Belgique*, 1942.

APOLLINAIRE

Paul Fort : Ballades françaises et Chroniques de France, édition définitive, tome IX : *Bol d'air*, avant-propos de Guillaume Apollinaire.
Paris, *Flammarion*, 1946.

PRÉFACES ET CONTRIBUTIONS
A DES CATALOGUES D'EXPOSITIONS

Exposition Georges Braque. Paris, *Henry Kahnweiler*, 1908.
Troisième exposition du Cercle d'Art moderne du Havre. Le Havre, 1908.
Exposition Vladislav Granzow. Paris, *Galerie Druet*, 1909.
Exposition Benjamin Rabier. Paris, *Galerie Deplanche*, 1910.
Catalogue du VIIIᵉ Salon annuel du Cercle d'Art *les Indépendants*.
Bruxelles, 1911.
Exposition Robert Delaunay, 1912. (L'album édité pour cette exposi-
tion s'ouvre sur un poème d'Apollinaire, *les Fenêtres*.)
Exposition Gustave Gwozdecki. Paris, 1913.
Exposition Marc Chagall. Berlin, *Der Sturm*, 1914.
Exposition Nathalie de Gontcharowa et Michel Larionow. Paris, *Galerie
Paul Guillaume*, 1914.
Exposition André Derain. Paris. *Galerie Paul Guillaume*, 1916. (Le
catalogue contient un poème d'Apollinaire, *Voyage*.)
Peintures de Léopold Survage, dessins et aquarelles d'Irène Lagut.
Paris, 1917. (Contient quelques poèmes idéographiques d'Apollinaire.)
Sculptures nègres. Paris, *Galerie Paul Guillaume*, 1917.
Exposition Matisse et Picasso. Paris, 1918.

COLLABORATIONS A DES RECUEILS COLLECTIFS

Hommage à Mécislas Golberg. Paris, 1905.
Almanach des Lettres et des Arts. Paris, *Martine*, 1917.
Six poèmes : G. Apollinaire, Blaise Cendrars, Jean Cocteau, Max
Jacob, Pierre Reverdy, André Salmon, 1917. (Placard servant de
programme à une matinée musicale du groupe des Six.)
Le Cinquantenaire de Charles Baudelaire. Paris, *la Maison du Livre*, 1917.
Appel pour les musées de la France et de la Belgique envahies. Paris, *les
Cahiers de l'Amitié de France et de Flandre*, 1918.
Les Veillées du Lapin agile, préface de Francis Carco. Paris, *l'Édition
Française Illustrée*, 1919.
Almanach de Cocagne pour l'an 1920. Paris, *Éditions de la Sirène*, 1920.

COLLABORATION ANONYME

Que faire ? roman, présenté par Noémi Onimus-Blumenkrantz, préface de
Jean Marcenac. Paris, *la Nouvelle Édition*, 1950. (Fragment d'un
roman-feuilleton publié dans *le Matin* en avril 1900, sous la signature
de Desnar, anagramme d'un certain Esnard à qui Apollinaire servit
de « nègre » pour quelques chapitres.)

PICASSO

. . . . .

Picasso est l'héir de tous les grands artistes, et, soudain éveillé à la vie, il s'engage dans une direction que l'on n'a pas encore prise.

Il change de direction, revient sur ses pas, repart d'un pied plus ferme, grandissant sans cesse, se fortifiant au contact de la nature inconnue ou par l'épreuve de la comparaison avec ses pairs du passé.

Dans chaque art, il y a un lyrisme. Picasso est souvent un peintre lyrique. Il offre encore à la méditation mille prétextes qu'animent la vie et la pensée et que colore avec netteté une lumière intérieure au fond de laquelle gît pourtant un gouffre de mystérieuses ténèbres.

Ici le talent se multiplie par la volonté et par la patience. Les expériences aboutissent toutes à dégager l'art de ses entraves.

Ne serait-ce pas le plus grand effort esthétique que l'on connaisse ? Il a grandement étendu le domaine de l'art et dans les directions les plus inattendues, là même où s'agite la surprise comme un lapin d'ouate qui bat le tambour au milieu du chemin.

Et les proportions de cet art deviennent de plus en plus majestueuses sans qu'il perde rien de sa grâce.

Vous pensez à une belle perle.

Cléopâtre, ne la jetez pas dans du vinaigre !

GUILLAUME APOLLINAIRE.

Dessin de Picasso

Edité par Paul Guillaume,
108, Faubourg St-Honoré, Paris.

PRINCIPAUX OUVRAGES A CONSULTER

Georges Duhamel : *les Poètes et la Poésie*, 1912-1914 (Mercure de France, 1914).

Frédéric Lefèvre : *La Jeune Poésie française* (Rouart, 1917).

Roger Allard : *Baudelaire et l'Esprit nouveau* (Édit. du Carnet-Critique 1918).

Roch Grey : *Guillaume Apollinaire* (Sic, 1919).

A. Toussaint-Luca : *Guillaume Apollinaire*, souvenirs d'un ami (Édit. de la Phalange, 1920). — Nouvelle édition avec introduction de Marcel Adéma (Monaco, Éditions du Rocher, 1954).

Fernand Fleuret : *Robert Mortier* (Action, 1921).

André Rouveyre : *Souvenirs de mon commerce* (G. Crès, 1921).

Paul Neuhuys : *Poètes d'aujourd'hui* (Anvers, Ça ira, 1922).

André Billy : *Apollinaire vivant* (Édit. de la Sirène, 1923).

André Breton : *Les Pas perdus* (Nouvelle Revue Française, 1924).

Souvenirs autour de Guillaume Apollinaire, par Émile Zavie, dans l'*Ami du Lettré pour* 1925 (G. Crès, 1924).

Guillaume Apollinaire, par Fernand Fleuret, dans *Vingt-cinq ans de littérature française*, publié sous la direction d'Eugène Montfort, tome II (Librairie de France, s. d.).

Philippe Soupault : *Guillaume Apollinaire ou Reflets de l'incendie* (Marseille, les Cahiers du Sud, 1927).

Francis Carco : *De Montmartre au Quartier latin* (Albin Michel, 1927).

Paul Léautaud : *Lettres* (Mornay, 1929).

Jean Royère : *Frontons*, première série (Marcel Seheur, 1932).

Hubert Fabureau : *Guillaume Apollinaire, son œuvre* (Édit. de la Nouvelle Revue Critique, 1932).

Fernand Fleuret : *De Gilles de Rais à Guillaume Apollinaire* (Mercure de France, 1933).

Fernande Olivier : *Picasso et ses amis* (Stock, 1933).

Marcel Raymond : *De Baudelaire au Surréalisme* (Corrêa, 1933).

Christian Fettweis : *Apollinaire en Ardenne* (Bruxelles, René Henriquez, 1934).

Émile G. Léonard : *Guillaume Apollinaire et l'Italie pendant la guerre* (Gênes, G. Cresta, 1934).

René Taupin et Louis Zukofsky : *Le Style Apollinaire* (les Presses Modernes, 1934).

Étienne Chichet : *Feuilles volantes,* quarante ans de journalisme (Nouvelles Éditions Latines, 1935).

Fernand Fleuret : *La Boîte à perruque* (Les Écrivains associés, 1935).

Eugène Montfort : *La Véritable Histoire de Louise Lalanne ou le poète d'Alcools travesti en femme* (1936).

Emmanuel Aegerter : *Guillaume Apollinaire et les destins de la Poésie* (Haloua, 1937).

Ernest M. Wolf : *Guillaume Apollinaire und das Rheinland* (Dortmund, 1937).

Jeanine Moulin : *Manuel poétique d'Apollinaire* (Bruxelles, les Cahiers du Journal des Poètes, 1939).

Emmanuel Aegerter et Pierre Labracherie : *Guillaume Apollinaire* (René Julliard, 1943).

Vittorio Orazi : *Guillaume Apollinaire, Romano* (Milan, Garotto, 1944).

René-Guy Cadou : *Testament d'Apollinaire* (Debresse, 1945).

Louise Faure-Favier : *Souvenirs sur Guillaume Apollinaire* (Bernard Grasset, 1945).

André Rouveyre : *Apollinaire* (Gallimard, 1945).

Robert Goffin : *Entrer en poésie* (Bruxelles, A l'Enseigne du Chat qui pêche, 1948).

René-Guy Cadou : *Guillaume Apollinaire ou l'Artilleur de Metz* (Nantes, S. Chiffoleau, 1948).

Sylvain Bonmariage : *Catherine et ses amis* (Gap, Édit. Ophrys, 1949).

André Rouveyre : *Apollinaire,* lithographies de Matisse (Édit. Raisons d'être, 1952).

Marcel Adéma : *Guillaume Apollinaire le mal-aimé* (Plon, 1952).

Blaise Cendrars : *Blaise Cendrars vous parle.* Entretiens radiophoniques avec Michel Manoll (Denoël, 1952).

André Rouveyre : *Amour et poésie d'Apollinaire* (Éditions du Seuil, 1955).

André Salmon : *Souvenirs sans fin,* deux vol. (Gallimard, 1955-1956).

Pierre Orecchioni : *Le thème du Rhin dans l'inspiration de Guillaume Apollinaire* (Lettres Modernes, 1956).

Marie-Jeanne Durry : *Guillaume Apollinaire : Alcools,* tome I (S. E. D. E. S., 1956).

G. Vergnes : *La vie passionnée d'Apollinaire* (Seghers, 1958).

REVUES ET JOURNAUX

Sic, n° de janvier-février 1919. Hommage à Guillaume Apollinaire par Roger Allard, Louis Aragon, Pierre Albert-Birot, André Billy, Blaise Cendrars, Jean Cocteau, Paul Dermée, Lucien Descaves, Fernand Divoire, Louise Faure-Favier, J. V. Foix, Louis de Gonzague Frick, Roch Grey, Max Jacob, J. M. Junoy, Ary Justman, Irène Lagut,

APOLLINAIRE

Louis Latourette, J. Perez Jorba, Francis Picabia, Léonard Pieux, Gaston Picard, Pierre Reverdy, Jules Romains, Jean Royère, André Salmon, Tristan Tzara.

Les Quelconqueries d'Apollinaire, par Ardengo Soffici ; *Mercure de France*, 15 mai 1920.

Vie de Guillaume Apollinaire, par André Salmon ; *la Nouvelle Revue Française*, novembre 1920.

Vient de paraître, novembre 1923, n° consacré à Guillaume Apollinaire : textes de Jacques-Émile Blanche, André Billy, Maurice Chevrier, Jean Cocteau, Fernand Divoire, Henri Duvernois, Guy-Pierre Fauconnet, Paul Fort, Louis de Gonzague Frick, Henri Hertz, Max Jacob, Pierre Mac Orlan, Charles Régismanset, Jules Romains, André Rouveyre, Jean Royère, André Salmon, Ardengo Soffici, Philippe Soupault, Jean Variot.

Images de Paris, n°s de janvier-février et septembre-octobre 1924 consacrés à Guillaume Apollinaire : textes de Paul Dermée, Florent Fels, Roch Grey, Eugène Montfort, docteur Jean Vinchon, Élie Richard.

L'Esprit Nouveau, n° 36, octobre 1924, consacré à Guillaume Apollinaire; textes de Pierre Albert-Birot, Céline Arnauld, Paul Dermée, Fernand Divoire, Ivan Goll, Roch Grey, Henri Hertz, Francis Picabia, André Salmon, Alberto Savinio, Tristan Tzara, Giuseppe Ungaretti.

Souvenirs sur Apollinaire, par Yves Blanc ; *la Grande Revue*, août 1934.

Chronique apollinarienne, par André Billy, Léon Deffoux, Fernand Divoire, Jacques Dyssord, Hubert Fabureau, Fernand Fleuret, J. O. [James Onimus], E. M. Wolf ; *les Marges*, 10 janvier, 10 février, 10 mars, 10 avril, 10 mai, 10 juin, 10 juillet, 10 décembre 1935 et 10 janvier 1936.

L'Avant-Poste (Verviers), janvier-février 1937 : En marge de l'œuvre d'Apollinaire, articles de Robert Vivier, Yanette Delétang-Tardif, Paul Neuhuys et Roger Bodart.

Le séjour d'Apollinaire en Rhénanie, par E. M. Wolf ; *Mercure de France*, 15 juin 1938.

Présence d'Apollinaire, Galerie Breteau, décembre 1943-janvier 1944, catalogue d'une exposition à la mémoire d'Apollinaire : textes d'André Billy, Louis de Gonzague Frick, Roch Grey, Max Jacob, Pierre Mac Orlan, Vincent Muselli, Pierre Varenne.

Rimes et Raisons (Albi, 1946), cahier consacré à Apollinaire : textes de Marcel Adéma, Pierre Albert-Birot, J. Yves Blanc, Louise Faure-Favier, Louis de Gonzague Frick, Albert Gleizes, Roch Grey, Jean Metzinger, Jean Mollet, Léopold Survage et Pierre Varenne.

Moréas et Apollinaire, par Maurice Rat ; *le Figaro littéraire*, 21 mai 1949.

Le « changement de front » d'Apollinaire, par Michel Decaudin ; *Revue des Sciences humaines*, octobre-décembre 1950.

Apollinaire et Annie Playden, par L. C. Breunig ; *Mercure de France*, 1er avril 1952.

Les ancêtres suisses de Guillaume Apollinaire, par E. Droz ; *Revue de Suisse*, 30 avril 1952.

La Table Ronde, septembre 1952 : Apollinaire familier, par André-

Royer, Nathalie de Gontcharowa, Roch Grey, Alice Halicka, Michel Larionow, Albert Molina, Jean Mollet, René Nicosia et Mme Jean Tournaire ; chroniques apollinariennes par L. C. Breunig, Henri Clouard et Guy Dupré ; textes recueillis et présentés par Marcel Adéma.

Le Flâneur des Deux Rives, bulletin d'études apollinariennes, n° 1 à n° 7-8, de mars 1954 à sept.-déc. 1955.

Apollinaire et l'Allemagne, par Raymond Warnier ; *Revue de littérature comparée*, 1954, tome 28.

Apollinaire à Stavelot, par James R. Lawler ; *Mercure de France*, 1er février 1955.

Apollinaire journaliste, par Raymond Warnier ; *Revue d'Histoire littéraire de la France*, janvier-mars 1956.

Guillaume Apollinaire, études de J.-B. Barrère, M.-J. Durry, L. C. Breunig, R. Warnier, Scott Bates, M. Decaudin, Robert Guiette et Claude Evrard, *Revue des Sciences humaines*, octobre-décembre 1956.

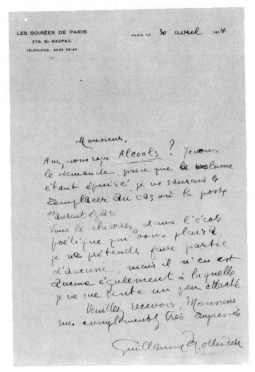

Lettre inédite d'Apollinaire.

ŒUVRES D'APOLLINAIRE EN LIBRAIRIE[1]

AIRELLES, Éd. Dynamo à Liège, 32 F., 50 F.

ALCOOLS, Poèmes 1898-1913, Gallimard 7,80 F., Bibliothèque des Arts, 14,40 F., Coll. « Soleil », cart. 13 F., Sedes (commenté par Mme Durry) 9,60 F.

ANECDOTIQUES, Gallimard, 9 F., relié, 17,50 F.

CALLIGRAMMES, Gallimard, 9,20 F., Bibliothèque des Arts, 14,40 F.

CHOIX DE POÈMES et bibliographie établis par Henri Parisot, précédé d'une étude par André Billy (Coll. « Poètes d'aujourd'hui »), Seghers, 7,10 F.

CHRONIQUE D'ART (1902-1918) Gallimard, 22 F., pur fil, 80 F.

COCKTAIL, Éd. Dynamo à Liège, 26 F., 50 F.

COULEUR DU TEMPS, Drame en 3 actes en vers, Belier, 3,10 F.

COULEUR DU TEMPS ET LES MAMELLES DE TIRÉSIAS, édit. de luxe, 1 vol. relié sans emboîtage, Bélier, 38,70 F.

LA FEMME ASSISE, Chronique de France et d'Amérique, Gallimard, 7,50 F.

LE FLANEUR DES DEUX RIVES, Gallimard, 3 F.

LE GUETTEUR MÉLANCOLIQUE, Poèmes inédits, Gallimard, 5 F., relié, 14,50 F.

L'HÉRÉSIARQUE ET CIE, Stock, 7,50 F.

LETTRES A SA MARRAINE, 1915-1918, Introduction et notes de M. Adema, Gallimard, 3 F.

ŒUVRES COMPLÈTES DE LOUISE LALANNE, Éd. Dynamo à Liège, 576 F. B.

ŒUVRES POÉTIQUES, Bibliothèque de la Pléiade, Gallimard, 44,20 F.

OMBRE DE MON AMOUR, Cailler 7,50 F., Bibliothèque des Arts, ill. de dessins et aquarelles de Juan Gris, 14,40 F.

IL Y A, Messein, 9 F.

LES PEINTRES CUBISTES, Coll. « Peintres et sculpteurs d'hier et d'aujour-d'hui ». Cailler, 9 F.

POÈMES, Coll. « Livre de poche », 2 F.

POÈMES A LOU, Cailler, sur papier volumineux, 80 F.

LE POÈTE ASSASSINÉ, Gallimard, 7 F., Club du Meilleur Livre, 19,50 F.

LA SUITE DE CENDRILLON, Éd. Dynamo à Liège, 18 F., 35 F.

TENDRE COMME LE SOUVENIR, Coll. « Blanche », Gallimard, 12 F.

TEXTES INÉDITS, Publiés par Jeanine Moulin. Coll. « Textes littéraires français », Droz, 9 F.

---

1. Ces prix sont donnés sous toute réserve et à titre indicatif; ils correspondent aux prix de catalogue automne 1964.

NOTE SUR LES ILLUSTRATIONS

Un certain nombre d'illustrations de ce volume ont été empruntées aux livres mêmes de Guillaume Apollinaire, comme l'indiquent les légendes qui les accompagnent. Pour compléter ces indications, il nous faut toutefois signaler ici que les bois gravés reproduits aux pages 43, 44, 47 et 155 sont des images d'André Derain illustrant l'édition originale de *L'Enchanteur pourrissant* (1909). Le document de la page 114 (en haut) a paru dans l'édition de luxe de *Ombre de mon amour*, chez Pierre Cailler. Les petites compositions idéographiques d'Apollinaire, qui figurent aux pages 143, 156 et 175 décoraient le catalogue de l'exposition de peintures de Léopold Survage et de dessins et aquarelles d'Irène Lagut, visible en 1917 à la galerie de Mme Bongard, 5, rue de Penthièvre.

Les clichés des pages 11, 73 et 78 appartiennent au fonds Harlingue. La photo d'une peinture du Douanier Rousseau (page 159) nous a été communiquée par la galerie Louise Leiris. Les photos des pages 17, 104, 106 et 107 sont des clichés *Paris-Match*. Les portraits et documents originaux reproduits aux pages 24, 35 et 94 sont la propriété de M. H. Matarasso qui a bien voulu en autoriser exceptionnellement la reproduction. Nous avons été sensibles à la sympathie qu'il nous a montrée.

Enfin, nous tenons à remercier vivement Mlle Marie Dormoy et M. Marcel Adéma, qui nous ont communiqué plusieurs des illustrations de cet ouvrage, ainsi que M. André Salmon, à qui nous devons la photo d'Apollinaire reproduite sur notre couverture.

Pages 2 et 3 de couverture : photo Vizzavona.

LE PRÉSIDENT ET LES MEMBRES
DU CONSEIL MUNICIPAL DE PARIS

ont l'honneur de vous prier de vouloir bien assister le

Vendredi 9 Novembre 1951, à 11 heures, à

l'inauguration de la rue Guillaume-Apollinaire.

Réunion : angle des rues
Saint-Benoît et de l'Abbaye.

INVITATION
pour une personne

Table

ACHEVÉ D'IMPRIMER EN 1965 PAR L'IMPRIMERIE TARDY A BOURGES
D L. 2e trim. 1965 - no 600.6 (1785)